Table of Contents

When You Need Service

Please read the following before calling your service centre.

1. The mixer may warm up during use. Under heavy loads with extended mixing time periods, you may not be able to comfortably touch the top of the unit. This is normal.
2. The mixer may emit a pungent odor, especially when new. This is common with electric motors.
3. If flat beater strikes bowl, stop the mixer. See "Beater to Bowl Clearance," Page 8.

If your mixer should malfunction or fail to operate, please check the following:

1. Is the mixer plugged in?
2. Is the fuse in the circuit to the mixer in working order? If you have a circuit breaker box, be sure the circuit is closed.
3. If the problem is not due to one of the above items, see "How to Arrange for Service" listed in the Warranty Statement on inside front cover.

When reading the Recipe and Instructions Book ...

Pay special attention to sections marked by the following words:

⚠WARNING

These help you avoid accidents that could lead to injury for someone using the product incorrectly.

These help you avoid damage to the product and/or other property.

"**NOTE:**" or "**IMPORTANT**"

These sections give you helpful tips on using the product.

Product Registration Card

Before you use your mixer, please fill out and mail your product registration card packed with the Use and Care Guide. This card will enable us to contact you in the unlikely event of a product safety notification. THIS CARD DOES NOT VERIFY YOUR WARRANTY.

Keep a copy of the sales receipt showing the date of purchase of your mixer. PROOF OF PURCHASE WILL ENSURE YOU OF IN-WARRANTY SERVICE. Please complete the following for your personal records:

Model Number* 4KSM110PSMC

Date Purchased Jan 17/03

Dealer's Address Westlock Hdw Ltd. Home Hdw

Phone ____________________

*Located on the product registration card.

IMPORTANT SAFETY INSTRUCTIONS

⚠WARNING

To reduce the risk of fire, electrical shock, injury to persons, or damage when using the mixer, follow basic safety precautions, including the following:

1. Read all instructions.
2. To protect against risk of electrical shock, never immerse mixer in water or other liquid.
3. This mixer is equipped with a 3-prong grounding plug and must be plugged into a correctly polarized 3-prong grounding type wall receptacle.
4. Do not let children operate or play with mixer.
5. Close supervision is necessary when any appliance is used by or near children. Do not leave mixer unattended while using.
6. Unplug mixer from outlet before inserting or removing parts, before cleaning, and when not in use.
7. Avoid contacting moving parts. Keep hands, hair, clothing, as well as spatulas and other utensils away from beater during operation to prevent injury, and/or damage to the mixer.
8. Remove flat beater, wire whip or dough hook from mixer before washing.
9. Do not operate any appliance with a damaged cord set or after the appliance has been dropped or damaged in any manner. Return appliance to the nearest authorized service centre for examination, repair or adjustment.
10. The use of attachments not recommended by KitchenAid may cause fire, electrical shock or injury.
11. Do not use outdoors.
12. Do not let cord hang over edge of table or counter, or touch hot surfaces.
13. When using a mixer model with a tilt head, the head must be completely down before locking. Before mixing, make sure lock is in position by attempting to raise head.
14. Do not use an extension cord with this appliance. Such use may result in fire, electrical shock or other personal injury.
15. Be careful when lifting mixer as it is heavy.
16. Use the mixer only for its intended function.
17. This product is designed for household use only.
18. Elecrical Requirements: Your KitchenAid Mixer operates on a regular 120 volt A.C., 60 hertz house current. The wattage rating for your KitchenAid Mixer Model K45SS, KSM90, K5SS or KSM5 is printed on the trim band. This wattage is determined by using the attachment which draws the greatest power. Other recommended attachments may draw significantly less power.
19. Be certain the attachment hub is secure (tighten attachment knob) prior to using mixer to avoid any possibility of the attachment hub falling into the bowl during mixing.

SAVE THESE INSTRUCTIONS

K5SS/KSM5 Mixer Features

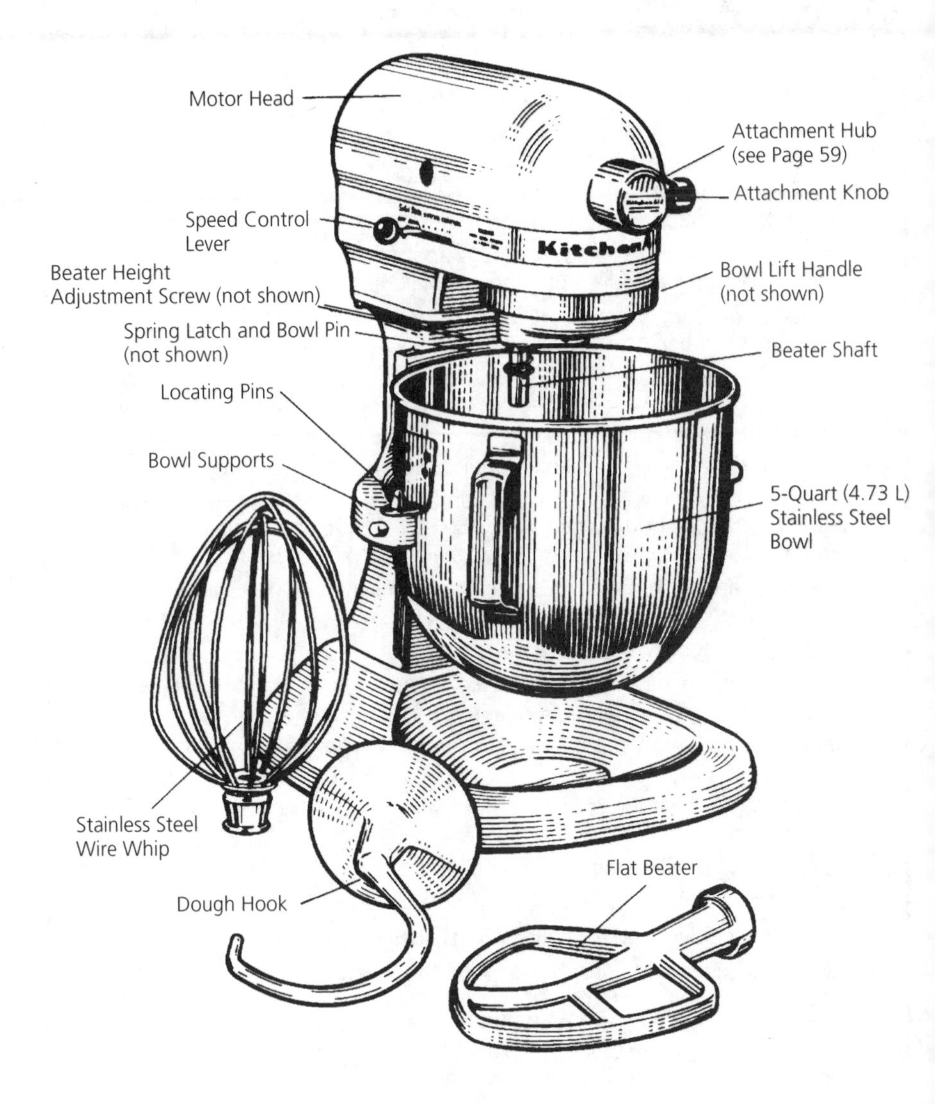

TO ATTACH BOWL

- Be sure speed control is OFF.
- Place bowl lift handle in down position.
- Fit bowl supports over locating pins.
- Press down on back of bowl until bowl pin snaps into spring latch.
- Raise bowl before mixing.

TO REMOVE BOWL

- Place bowl lift handle in down position.
- Grasp bowl handle and lift straight up and off locating pins.

TO RAISE BOWL

- Rotate handle back and up until it snaps into the locked vertical position.
- Bowl must always be in raised, locked position when mixing.

TO LOWER BOWL

- Rotate handle back and down.

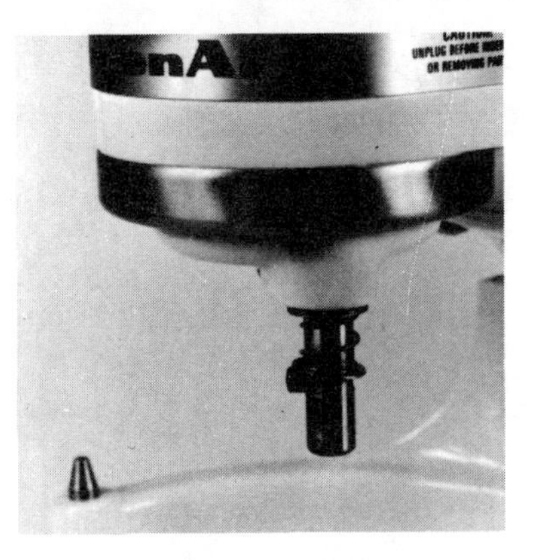

TO ATTACH FLAT BEATER, WIRE WHIP, OR DOUGH HOOK

- Turn speed control to OFF and unplug.
- Slip flat beater on beater shaft and press upward as far as possible.
- Turn beater to right, hooking beater over the pin on shaft.

TO REMOVE FLAT BEATER, WIRE WHIP, OR DOUGH HOOK

- Press beater upward as far as possible and turn left.
- Pull beater from beater shaft.

TO OPERATE CONTROL SPEED

- Speed control lever should always be set on lowest speed for starting, then gradually moved to desired higher speed to avoid splashing ingredients out of bowl. See Page 10 for Speed Control Guide.

K45SS/KSM90 Mixer Features

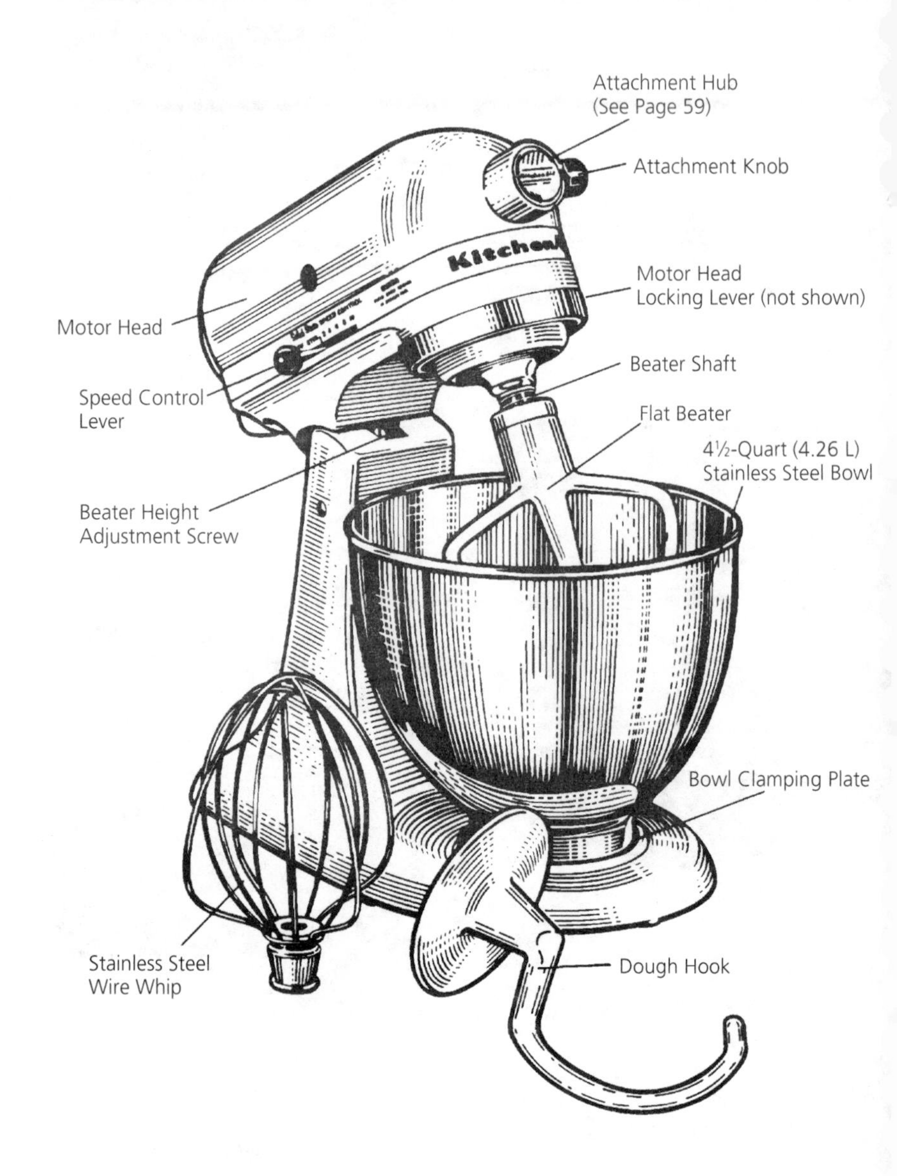

Attachment Hub
(See Page 59)
Attachment Knob
Motor Head
Locking Lever (not shown)
Motor Head
Beater Shaft
Speed Control
Lever
Flat Beater
4½-Quart (4.26 L)
Stainless Steel Bowl
Beater Height
Adjustment Screw
Bowl Clamping Plate
Stainless Steel
Wire Whip
Dough Hook

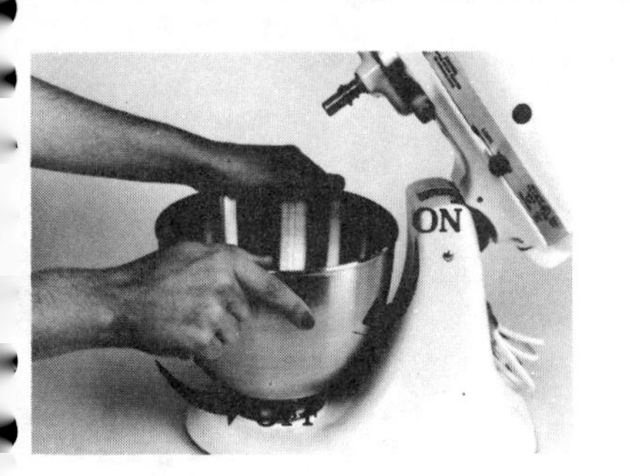

TO ATTACH BOWL

- Be sure speed control is OFF.
- Tilt motor head back.
- Place bowl on bowl clamping plate.
- Turn bowl gently in clockwise direction.

TO REMOVE BOWL

- Turn speed control to OFF.
- Tilt motor head back.
- Turn bowl in counterclockwise direction.

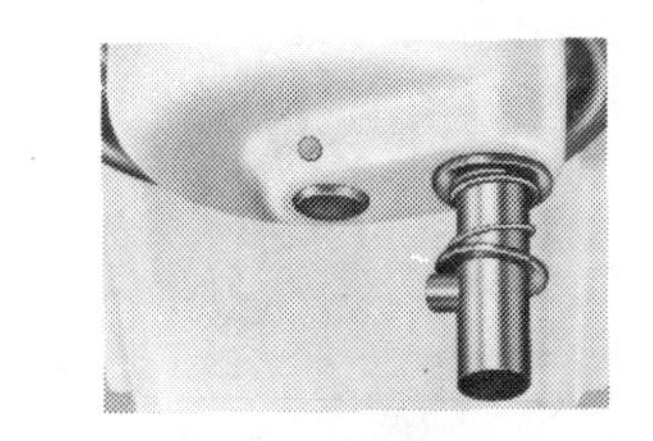

TO ATTACH FLAT BEATER, WIRE WHIP, OR DOUGH HOOK

- Turn speed control to OFF and unplug.
- Raise motor head.
- Slip beater onto beater shaft and press upward as far as possible.
- Turn beater to right, hooking beater over pin on shaft.

TO REMOVE FLAT BEATER, WIRE WHIP OR DOUGH HOOK

- Press beater upward as far as possible and turn left.
- Pull beater from beater shaft.

TO LOCK MOTOR HEAD

- Make sure motor head is completely down.
- Place locking lever in LOCK position.
- Before mixing, test lock by attempting to raise head.

TO UNLOCK MOTOR HEAD

- Place lever in UNLOCK position.

NOTE: Motor head should always be kept in LOCK position when using mixer.

TO OPERATE CONTROL SPEED

- Speed control lever should always be set on lowest speed for starting, then gradually moved to desired higher speed to avoid splashing ingredients out of bowl. See Page 10 for Speed Control Guide.

Using Your KitchenAid Attachments

Flat Beater for normal to heavy mixtures, such as:

cakes	biscuits
creamed frostings	quick breads
candies	meat loaf
cookies	mashed potatoes
pie pastry	

Wire Whip for mixtures which need to incorporate air, such as:

eggs	sponge cakes
egg whites	angel cakes
heavy cream	mayonnaise
boiled frostings	some candies

Dough Hook for mixing and kneading yeast doughs, such as:

breads	coffee cakes
rolls	buns

Beater To Bowl Clearance

Your mixer is adjusted at the factory so that the flat beater just clears the bottom of the bowl. If, for any reason, the flat beater strikes the bottom of the bowl or is too far away from the bowl, clearance can be corrected as follows:

Model K45SS/KSM90:

- Lift motor head.
- Turn screw (A) slightly to the left to raise flat beater and to the right to lower flat beater.
- Make adjustment with flat beater so it just clears surface of bowl.

Model K5SS/KSM5:

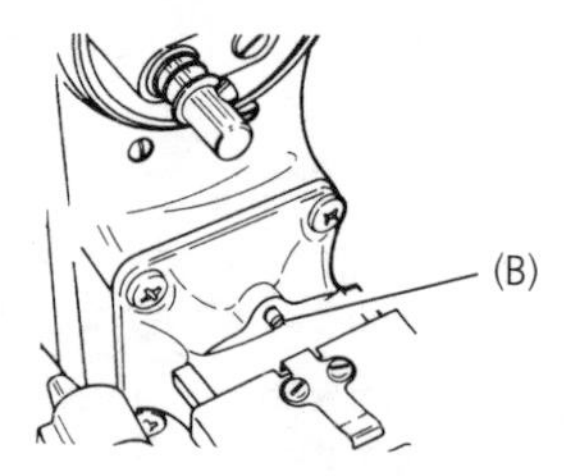

- Place bowl lift handle in down position.
- Turn screw (B) slightly to the left to raise flat beater and to the right to lower flat beater.
- Make adjustments with flat beater so it just clears surface of bowl.

NOTE: Flat beater must not strike on bottom or side of bowl when properly adjusted. If beater or wire whip is adjusted too close that it strikes bottom of bowl, coating may wear off of beater or wires may wear through on wire whip.

Scraping sides of bowl may be necessary under certain conditions regardless of beater adjustment. Mixer must be stopped to scrape bowl or damage to mixer may occur.

Care And Cleaning Of Your Mixer

⚠WARNING

ELECTRICAL SHOCK HAZARD

ALWAYS BE SURE TO UNPLUG MIXER BEFORE CLEANING TO AVOID POSSIBLE ELECTRIC SHOCK. Wipe mixer with a soft, damp cloth. DO NOT USE COMMERCIAL CLEANERS. DO NOT IMMERSE IN WATER. Wipe off beater shaft frequently, removing any residue that may accumulate.

Bowl, flat beater, wire whip and dough hook may be washed in an automatic dishwasher. Or, clean them thoroughly in hot, sudsy water and rinse completely before drying.

Lubrication: Motor bearings are self-lubricating and should require no further attention under normal use.

Planetary Mixing Action

During operation, the flat beater moves around the stationary bowl, at the same time turning in the opposite direction on its own axis. The diagram shows the complete coverage of the bowl made by the path of the beater.

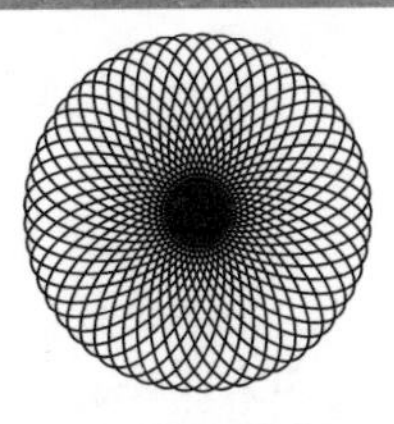

Your KitchenAid Mixer will mix faster and more thoroughly than most other electric mixers. Therefore, the mixing time in most recipes must be adjusted to avoid overbeating.

Mixer Use

The bowl and beater are designed to provide thorough mixing *without* frequent scraping. Scraping the bowl once or twice during mixing is usually sufficient.

⚠WARNING

PERSONAL INJURY HAZARD

To avoid personal injury and damage to the beater, do not attempt to scrape bowl while mixer is operating, turn mixer off. Should scraper or other object drop into bowl, turn motor OFF before removing.

The mixer may warm up during use. Under heavy loads with extended mixing time, you may not be able to comfortably touch the top of the unit. This is normal.

Speed Control Guide

Number of Speed

Stir Speed	**STIR**	For slow stirring, combining, mashing, starting all mixing procedures. Use to add flour and dry ingredients to batter, add liquids to dry ingredients, and combine heavy mixtures.
2	**SLOW MIXING**	For slow beating, mashing, faster stirring. Use to beat heavy batters and candies, start mashing potatoes or other vegetables, cut shortening into flour, beat thin or splashy batters, and mix and knead yeast dough. Use with Can Opener attachment.
4	**MIXING, BEATING**	For mixing semi-heavy batters such as cookies. Use to cream sugar and shortening and add sugar to egg whites for meringues. Medium speed for cake mixes. Use with attachments: Food Grinder, Rotor Slicer/Shredder and Fruit/Vegetable Strainer.
6	**BEATING, CREAMING**	For beating or creaming, medium fast whipping. Use to finish mixing cakes, doughnuts and other batters. High Speed for cake mixes. Use with Citrus Juicer attachment.
8	**FAST BEATING, WHIPPING**	For whipping cream, egg whites and boiled frostings.
10	**FAST WHIPPING**	For whipping small amounts of cream and egg whites. Use with Pasta Maker and Grain Mill attachments. **NOTE:** Will not maintain fast speeds under heavy loads such as when using Pasta Maker or Grain Mill attachments.

NOTE: The Speed Control Lever can be set between the above speeds if a finer adjustment is required. These adjustments will be more noticeable once the mixer has had several hours of use.

Mixing Tips

- **Measurements**

The recipe ingredients have been listed in both Metric and Imperial measures.

For the best results, each recipe should be prepared with either all Metric or all Imperial measures–not a combination of both.

- **Converting your recipe to the mixer**

The mixing instructions found in this book can be used to convert your favorite recipes for use with your KitchenAid Mixer. The foods were selected as examples of common recipes. Look carefully through the book for recipes similar to yours. Then adapt your recipe to the procedure(s) in the KitchenAid recipe. You may find that you have to combine procedures from different KitchenAid recipes to develop a mixing procedure suited to the needs of the recipe.

To help determine a mixing procedure, your own observations and experience will be needed. Watch the batter or dough and mix only until it has the desired appearance described in your recipe such as "smooth and creamy". Use the Speed Control Guide, Page 10, to help determine proper mixing speeds.

- **Cake Mixes**

When preparing packaged cake mixes, use Speed 4 for medium speed and Speed 6 for high speed. For best results, mix for the time stated on the package directions.

- **Adding Ingredients**

The standard procedure to follow when mixing most batters, especially cake and cookie batters, is to add:

⅓ dry ingredients

½ liquid ingredients

⅓ dry ingredients

½ liquid ingredients

⅓ dry ingredients

Use Stir Speed until ingredients have been blended. Then *gradually* increase to desired speed.

Always add ingredients as close to side of bowl as possible, not directly into moving beater. The Pouring Shield can be used to simplify adding Ingredients.

NOTE: If ingredients in very bottom of bowl are not thoroughly mixed, then the beater is not far enough into the bowl. See "Beater to Bowl Clearance," Page 8.

- **Adding Nuts, Raisins or Candied Fruits**

Solid materials should be folded in the last few seconds of mixing on Stir Speed. The batter should be thick enough to prevent the fruit or nuts from sinking to the bottom of the pan during baking. Sticky fruits should be dusted with flour for better distribution in the batter.

- **Liquid Mixtures**

Mixtures containing large amounts of liquid ingredients should be mixed at lower speeds to avoid splashing. Increase speed only after mixture has thickened.

Egg Whites

Place room temperature egg whites in clean, dry bowl. Attach bowl and wire whip. To avoid splashing, *gradually* turn to designated speed and whip to desired stage. See chart below.

AMOUNT	SPEED
1 egg white	GRADUALLY to 10
2-4 egg whites	GRADUALLY to 8
6 or more egg whites	GRADUALLY to 6

WHIPPING STAGES

FROTHY:
Large, uneven air bubbles.

BEGIN TO HOLD SHAPE:
Air bubbles are fine and compact; product is white.

SOFT PEAK:
Tips of peaks fall over when wire whip is removed.

ALMOST STIFF:
Sharp peaks form when wire whip is removed, but whites are actually soft.

STIFF BUT NOT DRY:
Sharp, stiff peaks form when wire whip is removed. Whites are uniform in colour and glisten.

STIFF AND DRY:
Sharp, stiff peaks form when wire whip is removed. Whites are speckled and dull in appearance.

Whipped Cream

Pour cream into chilled bowl. Attach bowl and wire whip. To avoid splashing, *gradually* turn to designated speed and whip to desired stage. See chart below.

AMOUNT	SPEED	AMOUNT
¼ cup	GRADUALLY to 10	50 mL
½ cup	GRADUALLY to 10	125 mL
1 cup	GRADUALLY to 8	250 mL
1 pint	GRADUALLY to 8	500 mL

WHIPPING STAGES

BEGINS TO THICKEN:
Cream is thick and custard-like.

HOLDS ITS SHAPE:
Cream forms soft peaks when wire whip is removed. Can be folded into other ingredients when making desserts and sauces.

STIFF:
Cream stands in stiff, sharp peaks when wire whip is removed. Use for topping on cakes or desserts, or filling for cream puffs.

NOTE: Watch cream closely during whipping; there are just a few seconds between whipping stages. DO NOT OVERWHIP.

APPETIZERS, ENTREES, AND VEGETABLES

Cold Raspberry Yogurt Soup

2 cups	fresh raspberries*	500 mL
	or	
1-12 oz. package	frozen raspberries	1-300 g package
½ cup	whipping cream	125 mL
2 cups	plain yogurt	500 mL
3 tablespoons	honey	45 mL
½ cup	orange juice	125 mL

Place raspberries in bowl. Attach bowl and flat beater. Turn to Speed 6 and mash raspberries, about 1 minute. Add remaining ingredients and mix on Speed 2 for 1 minute. Refrigerate until well chilled.

Yield: 8 servings.

*Fresh raspberries should be cooked for 3 minutes in 1 cup (250 mL) boiling water. Cool and drain well.

Crabmeat Dip

1-8 oz. package	cream cheese, softened	1-250 g package
1 cup	small curd cottage cheese	250 mL
¼ cup	mayonnaise	50 mL
1-4 oz. can	crabmeat, flaked	1-120 g can
1 tablespoon	lemon juice	15 mL
3 tablespoons	chopped green onion	45 mL
½ teaspoon	garlic salt	2 mL
3 drops	hot pepper sauce	3 drops

Place cream cheese, cottage cheese, and mayonnaise in bowl. Attach bowl and flat beater. Turn to Speed 6 and beat until blended, about 1 minute. Stop and scrape bowl. Add remaining ingredients. Turn to Speed 6 and beat 1 minute until all ingredients are combined.

Refrigerate until serving. Serve with assorted crackers or raw vegetables.

Yield: 3 cups (750 mL).

Spinach Cheese Squares

1-10 oz. package	frozen chopped spinach, thawed	1-300 g package
3 tablespoons	butter or margarine	45 mL
1	medium onion, finely chopped	1
1 pound	mushrooms, sliced	500 g
1 cup	sour cream	250 mL
⅓ cup	fresh bread crumbs	75 mL
4	eggs	4
1 cup	shredded Cheddar cheese	250 mL
1 cup	shredded Swiss cheese	250 mL
¼ teaspoon	basil	1 mL
¼ teaspoon	oregano	1 mL
¼ cup	grated Parmesan cheese	50 mL

Place spinach in a bowl and wring out all water until spinach feels dry. Set aside. Melt butter in a 10-inch (25 cm) skillet over medium heat. Add onion and mushrooms. Saute 2 to 3 minutes. Remove from heat and set aside.

Place sour cream, bread crumbs, and eggs in bowl. Attach bowl and flat beater. Turn to Speed 4 and beat 30 seconds. Add spinach, onions and mushrooms, Cheddar cheese, Swiss cheese, basil, and oregano. Turn to Speed 2 and mix 30 seconds, until all ingredients are combined.

Spread mixture into a greased 11¾ x 7½ x 1¾-inch (30 x 19 x 4.5 cm) baking dish. Sprinkle with Parmesan cheese. Bake at 350°F (180°C) for 35 minutes.

Yield: 44 appetizers.

Cheese Soufflé

2 tablespoons	butter or margarine	25 mL
3 tablespoons	all purpose flour	45 mL
1 cup	milk	250 mL
3 oz.	Cheddar cheese, shredded	90 g
½ teaspoon	salt	2 mL
	Dash cayenne pepper	
3	eggs, separated	3

Place butter in saucepan and melt over medium heat; blend in flour. Stirring constantly, add milk and cook until thickened. Remove from heat and add cheese, salt, and cayenne pepper. Set aside.

Place egg whites in bowl. Attach bowl and wire whip. Turn to Speed 8 and whip until stiff but not dry. Remove whites from bowl.

Place egg yolks in clean bowl. Attach bowl and flat beater. Turn to Speed 6 and beat 1 minute. Reduce to Stir Speed and gradually add cooked cheese mixture, about 30 seconds. Add egg whites and mix for 15 seconds longer.

Pour mixture into a greased 1-quart (1-litre) soufflé dish. Bake at 325°F (160°C) for 40 to 45 minutes or until firm.

Yield: 4 servings.

Vegetable Stuffed Sole

¼ cup	butter or margarine, melted	50 mL
½ cup	fresh bread crumbs	125 mL
¼	medium red pepper, chopped	¼
1	carrot, shredded	1
½	stalk celery, chopped	½
2 tablespoons	chopped parsley	25 mL
¼ teaspoon	cayenne pepper	1 mL
⅛ teaspoon	paprika	0.5 mL
¼ teaspoon	salt	1 mL
1 tablespoon	lemon juice	15 mL
8	sole fillets	8
¼ cup	dry white wine	50 mL
4	lemon slices	4

Place butter, bread crumbs, red pepper, carrot, celery, parsley, cayenne pepper, paprika, salt, and lemon juice in bowl. Attach bowl and flat beater. Turn to Stir Speed and mix 45 seconds, until combined.

Place 4 fillets in a greased 11¾ X 7½ x 1¾ inch (30 x 19 x 4.5 cm) baking dish. Spread ¼ cup (50 mL) filling on each fillet and place remaining fillets over filling. Pour wine over fillets.

Cover and bake at 375°F (190°C) for 20 minutes. Uncover; place lemon slice on each fillet. Bake 5 more minutes. Serve immediately with hollandaise sauce.

Yield: 4 servings.

Sweet Potato Puff

2	medium sweet potatoes, cooked and peeled	2
½ cup	milk	125 mL
¾ cup	granulated sugar	175 mL
2	eggs	2
⅓ cup	butter or margarine	75 mL
½ teaspoon	nutmeg	2 mL
½ teaspoon	cinnamon	2 mL

Place sweet potatoes in bowl. Attach bowl and wire whip. Turn to Speed 2 and beat for 30 seconds. Add milk, sugar, eggs, butter, nutmeg, and cinnamon. Turn to Speed 4 and beat for 1 minute. Spread mixture into a greased 9-inch (23 cm) pie plate. Bake at 400°F (200°C) for 20 minutes or until set. Spread CRUNCHY PRALINE TOPPING on hot sweet potatoes. Bake an additional 10 minutes.

CRUNCHY PRALINE TOPPING

⅓ cup	butter or margarine, melted	75 mL
¾ cup	cornflakes	175 mL
½ cup	chopped nuts	125 mL
½ cup	brown sugar	125 mL

Place all ingredients in bowl. Attach bowl and flat beater. Turn to Stir Speed and mix for 15 seconds.

Yield: 6 servings.

Stuffed Zucchini

4	medium zucchini, trimmed	4
½ cup	fresh bread crumbs	125 mL
¾ cup	grated Parmesan cheese	175 mL
½ cup	shredded Cheddar cheese	125 mL
2 tablespoons	chopped green chilies	25 mL
1	medium tomato, chopped	1
2	eggs	2
½ teaspoon	salt	2 mL

Halve zucchini lengthwise and place in a medium saucepan of boiling water. Cook 10 minutes or until tender. Drain and let cool on wire racks. Scoop out pulp leaving firm shells. Chop pulp into small pieces.

Place zucchini pulp and remaining ingredients in bowl. Attach bowl and flat beater. Turn to Speed 2 and mix for 30 seconds.

Place zucchini shells on a lightly greased 10½ x 15½ x 1-inch (25 x 40 x 2 cm) jelly roll pan. Spoon zucchini mixture into shells. Bake at 350°F (180°C) for 30 minutes. Serve immediately.

Yield: 8 servings.

Carrot Loaf

4	eggs, separated	4
3 cups	shredded carrots	750 mL
1 cup	whipping cream	250 mL
¾ cup	shredded Cheddar cheese	175 mL
1 cup	cracker crumbs	250 mL
2 tablespoons	butter or margarine, melted	25 mL
1	small onion, finely chopped	1
¼ teaspoon	basil	1 mL
¾ teaspoon	salt	3 mL
¼ teaspoon	pepper	1 mL

Place egg whites in bowl. Attach bowl and wire whip. Turn to Speed 8 and whip until stiff but not dry. Remove from bowl and set aside.

Place egg yolks in bowl. Attach bowl and flat beater. Beat on Speed 4 for 2 minutes, until thick and lemon coloured. Add remaining ingredients and mix on Speed 2 until combined, about 30 seconds.

Place mixture in a greased 8½ x 4½ x 2¼-inch (21 x 12 x 6.5 cm) loaf pan. Bake at 350°F (180°C) for 40 to 45 minutes. Cool in pan for 10 minutes, then remove and serve warm.

Yield: 10 to 12 servings.

CAKES, FROSTINGS, AND CANDIES

Brenda's Pumpkin Cake Roll

3	eggs	3
1 cup	granulated sugar	250 mL
⅔ cup	pumpkin	150 mL
¾ cup	all-purpose flour	175 mL
1 teaspoon	baking powder	5 mL
2 teaspoons	cinnamon	10 mL
½ teaspoon	nutmeg	2 mL
1 teaspoon	ground ginger	5 mL

Place eggs in bowl. Attach bowl and flat beater. Turn to Speed 6 and beat 1 minute. Continuing on Speed 6 gradually sprinkle in sugar and beat for 4 minutes. Reduce to Stir Speed and add pumpkin. Stop and scrape bowl.

Combine flour, baking powder, cinnamon, nutmeg, and ground ginger. Turn to Stir Speed and gradually add flour mixture to egg mixture, about 1 minute.

Line 9 x 13 x ¾-inch (22 x 34 x 4 cm) jelly roll pan with waxed paper and grease well. Pour mixture into pan and bake at 375°F (190°C) for 12 to 13 minutes. Remove from oven and immediately turn onto a towel sprinkled with powdered sugar. Remove waxed paper and roll cake and towel together; cool completely.

When cool, unroll cake and spread with CREAM CHEESE FILLING. Reroll and sprinkle with powdered sugar.

Yield: Nine 1-inch (2.5 cm) servings.

CREAM CHEESE FILLING

1-8 oz. package	cream cheese, softened	1-250 g package
4 teaspoons	butter or margarine	20 mL
½ teaspoon	vanilla	2 mL
1 cup	icing sugar	250 mL

Place all ingredients in bowl. Attach bowl and flat beater. Turn to Speed 4 and beat until thoroughly combined, about 2 minutes.

Double Chocolate Pound Cake

3 cups	sifted cake and pastry flour	750 mL
3 cups	granulated sugar	750 mL
1 cup	cocoa	250 mL
3 teaspoons	baking powder	15 mL
1 teaspoon	salt	5 mL
1 cup	butter, softened	250 mL
1½ cups	milk	375 mL
1 tablespoon	vanilla	15 mL
3	eggs	3
¼ cup	whipping cream	50 mL

Sift dry ingredients into bowl. Make a well in the centre and add softened butter, milk and vanilla. Attach bowl and flat beater. Turn to Stir Speed for 1 minute or until mixed. Stop and scrape bowl, Turn to Speed 6 and beat 5 minutes. Stop and scrape bowl.

Turn to Stir Speed and add eggs, one at a time, beating 15 seconds after each addition. Add cream and beat 15 seconds. Turn to Speed 4 and beat for 15 seconds.

Pour batter into a greased 10-inch (25 cm) tube pan and bake at 325°F (160°) for 1 hour 40 minutes or until pick inserted in centre comes out clean. Cool cake completely before removing from pan. Do not invert pan. When cool, drizzle CHOCOLATE GLAZE over top of cake.

Yield: One 10-inch (25 cm) cake.

CHOCOLATE GLAZE

2-1 oz. squares	unsweetened chocolate	2-28 g squares
3 tablespoons	butter or margarine	45 mL
1 cup	icing sugar	250 mL
¾ teaspoon	vanilla	3 mL
2 tablespoons	hot water	25 mL

Heat chocolate and butter over low heat until melted. Remove from heat; stir in icing sugar and vanilla. Stir in water, 1 teaspoon (5 mL) at a time, until glaze is of desired consistency.

Sour Cream Cheesecake

CRUST:

1-7 oz. package	chocolate cookie wafers, crushed	1-200 g package
3 tablespoons	granulated sugar	45 mL
¼ cup	butter or margarine, melted	50 mL

Mix crumbs and sugar together; stir in butter. Press mixture firmly into bottom of 10-inch (25 cm) springform pan. Chill. Preheat oven to 350°F (180°C).

FILLING:

3-8 oz. packages	cream cheese, softened	3-250 g packages
1½ cups	granulated sugar	375 mL
3 tablespoons	all-purpose flour	45 mL
4	eggs	4
½ cup	lemon juice	125 mL

Place cream cheese, sugar, and flour in bowl. Attach bowl and flat beater. Beat on Speed 2 for 30 seconds; turn to Speed 4 and beat for 1 minute. Stop and scrape bowl. Turn to Speed 4 and beat for 30 seconds. Stop and scrape bowl. Add eggs, one at a time, and beat on Speed 2 for 15 seconds after each addition. Stop and scrape bowl. Add lemon juice, turn to Stir Speed and beat for 30 seconds. Stop and scrape bowl. Turn to Speed 2 and beat another 15 seconds.

Pour filling into crust. Bake 50 to 60 minutes or until cake springs back when touched lightly in centre. Remove from oven and allow to cool slightly on wire rack.

TOPPING:

½ cup	sour cream	125 mL
2 tablespoons	granulated sugar	25 mL
½ teaspoon	vanilla	2 mL

Place sour cream, sugar, and vanilla in bowl. Attach bowl and wire whip. Whip on Speed 6 until well blended, about 30 seconds.

Pour sour cream topping over warm cheesecake. Allow to cool completely. Then refrigerate 6 to 8 hours, until well chilled, before serving.

Yield: One 10-inch (25 cm) cake.

Sunshine Chiffon Cake

2¼ cups	cake and pastry flour	550 mL
1½ cups	granulated sugar	375 mL
1 tablespoon	baking powder	15 mL
1 teaspoon	salt	5 mL
¾ cup	cold water	175 mL
½ cup	vegetable oil	125 mL
5	egg yolks, beaten	5
2 teaspoons	vanilla	10 mL
2 teaspoons	grated lemon rind	10 mL
1 cup	egg whites (about 7 or 8 egg whites)	250 mL
½ teaspoon	cream of tartar	2 mL

Sift flour, sugar, baking powder, and salt together twice on waxed paper. Sift a third time into bowl. Make a well in the centre of the sifted mixture and add water, oil, egg yolks, vanilla, and lemon rind. Attach bowl and wire whip.

Turn to Speed 4 and beat 1 minute. Stop and scrape bowl. Return to Speed 4 and beat for 15 seconds. Remove mixture from bowl.

Place egg whites and cream of tartar in clean bowl. Attach bowl and wire whip. Turn to Speed 6 and whip until stiff, but not dry. Gradually add first mixture to egg whites. Carefully fold by hand until just blended.

Pour into ungreased 10-inch (25 cm) tube pan. Bake at 325°F (160°C) for 55 minutes. Increase temperature to 350°F (180°C) and bake 10 to 15 minutes longer. Invert pan and cool completely before removing cake.

Yield: One 10-inch (25 cm) cake.

Chocolate Marble Cake

3-1 oz. squares	unsweetened chocolate	3-28 g squares
½ cup	icing sugar	125 mL
½ cup	light corn syrup	125 mL
½ cup	water	125 mL
1 tablespoon	vanilla	15 mL
3¼ cups	cake and pastry flour	800 mL
2 cups	granulated sugar	500 mL
2¼ teaspoons	baking powder	11 mL
½ teaspoon	salt	2 mL
1 cup	butter or margarine, softened	250 mL
1 cup	milk	250 mL
4	eggs	4
¼ teaspoon	baking soda	1 mL

Melt chocolate over low heat in a small saucepan. Add powdered sugar, corn syrup, water, and ½ teaspoon (2 mL) vanilla. Bring mixture to a boil, stirring constantly. Reduce heat. Cook 1 to 2 minutes until mixture is smooth. Remove from heat and cool.

Sift flour, sugar, baking powder, and salt into bowl. Make a well in centre of the sifted mixture and add butter, ⅔ cup (150 mL) milk and remaining vanilla. Attach bowl and flat beater. Turn to Stir Speed and mix 1 minute. Stop and scrape bowl. Turn to Speed 4 and beat 2 minutes.

Add remaining milk and eggs. Turn to Speed 2 and mix 30 seconds. Stop and scrape bowl. Turn to Speed 4 and beat 1 minute.

Pour two-thirds of batter into a greased and floured 10-inch (25 cm) bundt pan. Add baking soda to cooled chocolate mixture, stirring to blend. Combine chocolate mixture with remaining third of vanilla batter; fold in gently with spatula. Pour chocolate batter evenly over vanilla batter; do not stir.

Bake at 350°F (180°C) for 50 to 55 minutes. Cool in pan 10 minutes, then remove and cool on wire rack.

Yield: One 10-inch (25 cm) cake.

Fluffy KitchenAid Frosting

1½ cups	granulated sugar	375 mL
½ teaspoon	cream of tartar	2 mL
½ teaspoon	salt	2 mL
½ cup	water	125 mL
4 teaspoons	light corn syrup	20 mL
2	egg whites	2
1½ teaspoons	vanilla	7 mL

Place sugar, cream of tartar, salt, water, and corn syrup in saucepan. Stir over medium heat until sugar is completely dissolved, forming a syrup.

Place egg whites in bowl. Attach bowl and wire whip. Turn to Speed 10 and whip until whites begin to hold shape, about 45 seconds. Continuing on Speed 10, slowly pour hot syrup into egg whites in a fine stream, about 1 to 1½ minutes. Add vanilla and continue whipping about 5 minutes or until frosting loses gloss and stands in stiff peaks. Frost cake immediately.

Yield: Frosting for two 9-inch (23 cm) layers.

Chocolate Fudge

	Butter	
2 cups	granulated sugar	500 mL
⅛ teaspoon	salt	0.5 mL
¾ cup	evaporated milk	175 mL
1 teaspoon	light corn syrup	5 mL
2-1 oz. squares	unsweetened chocolate	2-28 g squares
2 tablespoons	butter or margarine	25 mL
1 teaspoon	vanilla	5 mL
½ cup	chopped nuts	125 mL

Butter sides of a heavy 2-quart (2 L) saucepan. Combine sugar, salt, evaporated milk, corn syrup, and chocolate in saucepan. Cook and stir over medium heat until chocolate melts and sugar dissolves. Cook WITHOUT STIRRING to soft ball stage (236°F [115°C]). Remove immediately from heat. Add 2 tablespoons (25 mL) butter WITHOUT STIRRING. Cool to lukewarm (110°F [43°C]). Add vanilla and pour into bowl.

Attach bowl and flat beater. Turn to Speed 2 and beat for 8 minutes or until fudge stiffens and loses its gloss. Quickly turn to Stir Speed and add nuts. Spread in buttered 9 x 9-inch (23 x 23 cm) pan. Cool at room temperature. Cut when firm.

Yield: Twenty-five 1-inch (2.5 cm) squares.

DIVINITY

3 cups	granulated sugar	750 mL
¾ cup	light corn syrup	175 mL
½ cup	water	125 mL
2	egg whites	2
1 teaspoon	almond extract	5 mL
1 cup	chopped nuts	250 mL

Place sugar, corn syrup, and water in heavy saucepan. Over medium heat, cook to hard ball stage (248°F [120°C]). Remove from heat and let stand until temperature drops to 220°F (105°C), WITHOUT STIRRING.

Place egg whites in bowl. Attach bowl and wire whip. Turn to Speed 8 and whip until soft peaks form, about 1 minute. Gradually add syrup in a fine stream, about 2½ minutes. Reduce to Speed 4 and add almond extract. Continue whipping 20 to 25 minutes or until mixture starts to become dry. Turn to Stir Speed and add nuts, mixing just until blended.

Drop mixture from spoon onto waxed paper or greased pan to form patties.

Yield: 1½ pounds (750 g).

Cookies And Quick Breads

Sugar Cookies

1 cup	butter or margarine	250 mL
1 teaspoon	vanilla	5 mL
¾ cup	granulated sugar	175 mL
2	eggs, beaten	2
2 cups	all-purpose flour	500 mL
1 teaspoon	cream of tartar	5 mL
½ teaspoon	baking soda	2 mL
¼ teaspoon	nutmeg	1 mL
¼ teaspoon	salt	1 mL
	Sugar	

Place butter and vanilla in bowl. Attach bowl and flat beater. Turn to Speed 6 and cream until mixture is smooth, about 2 minutes. Gradually add ¾ cup (175 mL) sugar, about 30 seconds and continue beating for 1 minute. Add eggs and beat for 30 seconds. Stop and scrape bowl.

Sift dry ingredients together. Turn to Stir Speed and gradually add dry ingredients until thoroughly mixed, about 1 minute.

Drop by teaspoonfuls on greased baking sheets, about 3 inches (7.5 cm) apart. Bake at 400°F (200°C) for 6 to 8 minutes. Sprinkle with sugar while still hot.

Yield: 4 dozen cookies.

Butter-Nut Shortbread Bars

1 cup	butter or margarine, softened	250 mL
1 cup	packed brown sugar	250 mL
2 cups	all-purpose flour	500 mL
1 teaspoon	baking powder	5 mL
½ teaspoon	salt	2 mL
2	egg whites	2
1 cup	chopped nuts	250 mL

Place butter and brown sugar in bowl. Attach bowl and flat beater. Turn to Speed 2 and beat for 1 minute. Stop and scrape bowl. Add flour, baking powder, and salt. Turn to Speed 2 and mix until soft dough forms, about 1½ minutes.

Press dough into a greased 10½ x 15½ x 1-inch (25 x 40 x 2 cm) jelly roll pan. Gently beat egg whites with fork until slightly foamy. Glaze dough with egg whites, using only as much as needed to lightly cover. Sprinkle chopped nuts on top of egg whites.

Bake at 375°F (190°C) for 20 to 25 minutes. Cut into bars while warm.

Yield: Thirty 1½ X 3-inch (4 x 7.5 cm) bars.

Baking Powder Biscuits

2 cups	all-purpose flour	500 mL
4 teaspoons	baking powder	20 mL
1 teaspoon	salt	5 mL
⅓ cup	shortening	75 mL
⅔ cup	milk	150 mL

Sift flour, baking powder, and salt into bowl. Cut shortening into 4 or 5 pieces and drop into bowl. Attach bowl and flat beater. Turn to Stir Speed and cut shortening in, about 1 minute. Stop and scrape bowl.

Add milk and mix on Stir Speed until dough starts to cling to beater. Avoid overbeating. Turn dough onto lightly floured board and knead until smooth, about 20 seconds. Pat or roll to ½-inch (1 cm) thickness. Cut with floured 2-inch (5 cm) biscuit cutter.

Place on greased baking sheets and brush with melted butter or margarine. Bake at 450°F (230°C) for 12 to 15 minutes. Serve immediately.

Yield: 12 biscuits.

Cream Puffs

1 cup	water	250 mL
½ cup	butter or margarine	125 mL
¼ teaspoon	salt	1 mL
1 cup	sifted all-purpose flour	250 mL
4	eggs	4
	Icing sugar	
	Vanilla Custard Filling	

In saucepan heat water, butter, and salt to full rolling boil. Reduce heat and quickly stir in flour, mixing vigorously until mixture leaves side of pan in ball. Remove from heat.

Place flour mixture in bowl. Attach bowl and flat beater. Turn to Speed 2 and add eggs, one at a time, beating approximately 30 seconds after each addition. Increase to Speed 4 for 15 seconds.

Drop dough onto greased cookie sheet, forming mounds 3 inches (7.5 cm) apart.

Bake at 400°F (200°C) for 10 minutes. Lower heat to 350°F (180°C) and bake for 25 minutes or until puffs have doubled in size. Remove from oven and cut small slit into side of each. Let stand 10 minutes in turned-off oven with door ajar. Cool completely; cut off tops and fill with Vanilla Custard. Sprinkle with icing sugar.

Yield: 12 cream puffs.

Vanilla Custard Filling

⅓ cup	granulated sugar	75 mL
1 tablespoon	all-purpose flour	15 mL
1 tablespoon	cornstarch	15 mL
¼ teaspoon	salt	1 mL
1½ cups	milk	375 mL
1	egg yolk, beaten	1
1 teaspoon	vanilla	5 mL

Combine sugar, flour, cornstarch, and salt in a small saucepan. Gradually stir in milk. Cook and stir over medium heat until mixture thickens and comes to a boil. Cook 3 minutes longer.

Combine egg yolk with small amount of hot milk mixture and add to pan. Continue cooking until mixture boils; stir in vanilla. Remove from heat and cool completely.

Spiced Doughnuts

¼ cup	shortening, melted	50 mL
⅔ cup	granulated sugar	150 mL
2	eggs	2
3½ cups	all-purpose flour	875 mL
1 tablespoon	baking powder	15 mL
1 teaspoon	salt	5 mL
½ teaspoon	nutmeg	2 mL
½ teaspoon	cinnamon	2 mL
⅔ cup	milk	150 mL
	Oil for deep frying	
	Icing sugar	

Place shortening, sugar, and eggs in bowl. Attach bowl and flat beater. Turn to Speed 4 and mix 1 minute.

Sift flour, baking powder, salt, nutmeg, and cinnamon together in separate bowl. Turn to Stir Speed and add half of flour mixture and half of milk, mixing 15 seconds, after each addition. Repeat with remaining flour mixture and milk. Stop and scrape bowl. Turn to Speed 4 and beat until smooth, about 30 seconds.

Roll dough on lightly floured board to ⅜-inch (1 cm) thickness. (**NOTE:** Chill dough in refrigerator 10 minutes if difficult to handle.) Cut with a well-floured 2½-inch (6 cm) doughnut cutter.

Fry a few doughnuts at a time in hot oil (350°F [180°C]) turning until medium brown on both sides, about 3 to 5 minutes. Drain on absorbent towels and sprinkle with icing sugar.

Yield: 16 doughnuts.

Fudge Brownies

1 cup	butter or margarine, softened	250 mL
4-1 oz. squares	unsweetened chocolate	4-28 g squares
2 cups	granulated sugar	500 mL
1 teaspoon	vanilla	5 mL
3	eggs	3
1 cup	all-purpose flour	250 mL
½ teaspoon	salt	2 mL
1 cup	chopped nuts	250 mL

Melt ½ cup (125 mL) butter with chocolate over low heat; cool. Place remaining butter, sugar, and vanilla in bowl. Attach bowl and flat beater. Turn to Speed 2 and mix for 30 seconds, then increase to Speed 6 and cream for 2 minutes. Reduce to Speed 4 and add eggs, one at a time beating 15 seconds after each addition. Stop and scrape bowl.

Add cooled butter and chocolate. Turn to Speed 2 and mix for 30 seconds. Reduce to Stir Speed and add flour, salt, and nuts; mix until well blended, about 30 seconds.

Pour into greased and floured 13 x 9 x 2-inch (34 x 22 x 5 cm) pan. Bake at 350°F (180°C) for 45 minutes. Cool in pan and cut into 2-inch (5 cm) squares.

Yield: 2 dozen brownies.

Banana Nut Bread

⅓ cup	shortening	75 mL
½ cup	granulated sugar	125 mL
2	eggs	2
1¾ cups	sifted all-purpose flour	425 mL
1 teaspoon	baking powder	5 mL
½ teaspoon	baking soda	2 mL
½ teaspoon	salt	2 mL
1 cup	mashed ripe bananas	250 mL
½ cup	chopped walnuts	125 mL

Place shortening and sugar in bowl. Attach bowl and flat beater. Beat at Speed 6 for 1 minute. Stop and scrape bowl. Beat an additional minute at Speed 6, then turn to Speed 4 and add eggs. Beat 30 seconds. Stop and scrape bowl. Turn to Speed 6 and beat for 1½ minutes.

Sift together flour, baking powder, baking soda, and salt into a separate bowl. Turn to Stir Speed and add half of flour mixture and half of mashed banana. Mix for 30 seconds, then add remaining flour and banana mixture. Mix an additional 30 seconds. Stop and scrape bowl. Blend walnuts in on Stir Speed, about 15 seconds.

Pour mixture into greased and floured 9½ x 5 x 3-inch (23 x 13 x 7 cm) loaf pan. Bake at 350°F (180°C) for 40 to 45 minutes. Remove from pan and cool on wire rack.

Yield: 1 loaf.

Pies and Pastry

KitchenAid Pie Pastry

2¼ cups	all-purpose flour	550 mL
¾ teaspoon	salt	3 mL
½ cup	shortening, well chilled	125 mL
2 tablespoons	butter or margarine, well chilled	25 mL
5-6 tablespoons	cold water	60-75 mL

Sift flour and salt into bowl. Cut shortening and butter into 4 or 5 pieces and drop into bowl. Attach bowl and flat beater. Turn to Stir Speed and cut shortening into flour until particles are size of small peas, about 30 seconds.

Add water, a tablespoon (15 mL) at a time, until all particles are moistened. Use only enough water to make pastry form a ball. Watch dough closely as overmixing will result in a tough crust.

Chill in refrigerator 15 minutes. Roll to ⅛-inch (3 mm) thickness between waxed paper. Fold pastry into quarters; ease into plate and unfold, pressing firmly against bottom and sides. Trim and crimp edges. Fill and bake as desired.

Yield: Two 8 or 9-inch (20 or 23 cm) single crusts or one 8 or 9-inch (20 or 23 cm) double crust.

For Baked Pastry Shell: Prick sides and bottom with fork. Bake at 450°F (230°C) for 8 to 10 minutes until light brown. Cool completely before filling.

Country Pear Pie

¾ cup	brown sugar	175 mL
3 tablespoons	all-purpose flour	45 mL
⅛ teaspoon	salt	0.5 mL
	Dash ground cloves	
	Dash nutmeg	
⅓ cup	whipping cream	75 mL
8-10	medium pears (about 2½ pounds [1.2 kg]) pared, cored and thinly sliced	8-10
2 tablespoons	lemon juice	25 mL
2 tablespoons	butter or margarine	25 mL
	KitchenAid pie pastry for double crust 9-inch (23 cm) pie	

In small bowl, combine brown sugar, flour, salt, cloves, and nutmeg. Stir in cream. In another bowl, sprinkle lemon juice over pears. Add brown sugar-cream mixture and mix well. Set aside.

Divide pastry in half. Roll to ⅛-inch (3 mm) thickness and line a 9-inch (23 cm) pie plate. Fill with pear mixture and dot with butter. Roll out remaining pastry and cut into ½-inch (1 cm) strips. Weave strips into a lattice on top of pears. Seal and crimp edges. Bake at 400°F (200°C) for 35 to 40 minutes.

Yield: One 9-inch (23 cm) pie.

Vanilla Cream Pie

FILLING:

½ cup	granulated sugar	125 mL
6 tablespoons	all-purpose flour	90 mL
¼ teaspoon	salt	1 mL
2½ cups	milk	625 mL
3	egg yolks	3
1 tablespoon	butter or margarine	15 mL
1 teaspoon	vanilla	5 mL
	9-inch (23 cm) baked KitchenAid pastry shell	

Mix sugar, flour, and salt in heavy saucepan. Add milk and cook over medium heat, stirring constantly, until thickened. Lower heat, cover and cook 10 minutes longer, stirring occasionally.

Place egg yolks in bowl. Attach bowl and wire whip. Turn to Speed 8 and beat 1 minute. Slowly add small amount of milk mixture to yolks. Add to pan and cook, stirring constantly, over medium heat for 3 to 4 minutes. Remove from heat and add butter and vanilla. Cool and pour into baked pie shell.

MERINGUE:

¼ teaspoon	cream of tartar	1 mL
⅛ teaspoon	salt	0.5 mL
3	egg whites	3
½ cup	granulated sugar	125 mL

Combine cream of tartar, salt, and egg whites in bowl. Attach bowl and wire whip. Gradually turn to Speed 8 and whip until soft peaks form, about 1 minute. Reduce to Speed 4 and gradually add sugar; whip until stiff peaks form, about 1 minute.

Lightly pile meringue on pie and spread to edges. Bake at 325°F (160°F) for 15 minutes or until lightly browned.

Yield: One 9-inch (23 cm) pie.

VARIATIONS:

Chocolate Cream Pie: Add 2 squares (2 oz. [56 g]) melted unsweetened chocolate to filling along with butter and vanilla. Proceed as directed above.

Banana Cream Pie: Slice 2 or 3 ripe bananas into pie before pouring in filling. Proceed as directed above.

Coconut Cream Pie: Add ½ cup (125 mL) flaked coconut to filling before pouring into shell. Before baking, sprinkle ¼ cup (50 mL) flaked coconut on meringue. Proceed as directed above.

Chocolate Eggnog Pie

CRUST:

1-7 oz. package	chocolate cookie wafers, crushed	1-200 g package
2 tablespoons	granulated sugar	25 mL
¼ cup	butter or margarine, softened	50 mL

Place chocolate crumbs, sugar, and butter in bowl. Attach bowl and flat beater. Turn to Speed 2 and mix until well combined, about 1 minute. Press mixture firmly and evenly against bottom and sides of 9-inch (23 cm) pie plate. Bake at 350°F (180°C) for 5 minutes. Cool.

FILLING:

1-7 g package	unflavored gelatin	1-7 g package
¼ cup	cold water	50 mL
⅓ cup	granulated sugar	75 mL
2 tablespoons	cornstarch	25 mL
½ teaspoon	salt	2 mL
2 cups	eggnog	500 mL
½ teaspoon	rum extract	2 mL
1 cup	whipping cream	250 mL

Sprinkle gelatin over water to soften. Combine sugar, cornstarch, and salt in heavy saucepan; gradually stir in eggnog. Cook over medium heat, stirring constantly, until thickened. Cook 2 minutes longer. Remove from heat and stir in softened gelatin until dissolved. Stir in rum extract and chill.

Place cream in clean, chilled bowl. Attach bowl and wire whip. Turn to Speed 6 and whip until stiff. Gently fold whipped cream into gelatin mixture. Pour filling into cooled crust. Chill until set.

TOPPING:

1 cup	whipping cream	250 mL
¼ cup	icing sugar	50 mL

Place cream in clean, chilled bowl. Attach bowl and wire whip. Turn to Speed 8 and whip until cream begins to thicken. Gradually add icing sugar, whipping until soft peaks form. Spread over pie.Chill.

Yield: One 9-inch (23 cm) pie.

Brownie Pie

2	eggs, separated	2
¾ cup	butter or margarine, softened	175 mL
¾ cup	granulated sugar	175 mL
¾ cup	brown sugar	175 mL
2-1 oz. squares	unsweetened chocolate, melted	2-28 g squares
¾ cup	all-purpose flour	175 mL
¼ cup	chocolate liqueur	50 mL
	KitchenAid pie pastry for single crust 9-inch (23 cm) pie	

Place egg whites in bowl. Attach bowl and wire whip. Turn to Speed 8 and whip until stiff but not dry. Remove from bowl and set aside.

Place butter, sugar, and brown sugar in bowl. Attach bowl and flat beater. Turn to Speed 4 and cream for 1 minute. Add chocolate and egg yolks and mix on Speed 2 for 1 minute. Stop and scrape bowl. Add flour and chocolate liqueur. Turn to Speed 2 for 30 seconds. Increase to Speed 4 for 15 seconds. Stop and scrape bowl. Add egg whites on Stir Speed and mix 15 seconds.

Pour mixture into pie shell. Bake at 375°F (190°C) for 35 to 40 minutes.

Yield: One 9-inch (23 cm) pie.

Yeast Breads

Dough Hook Variations

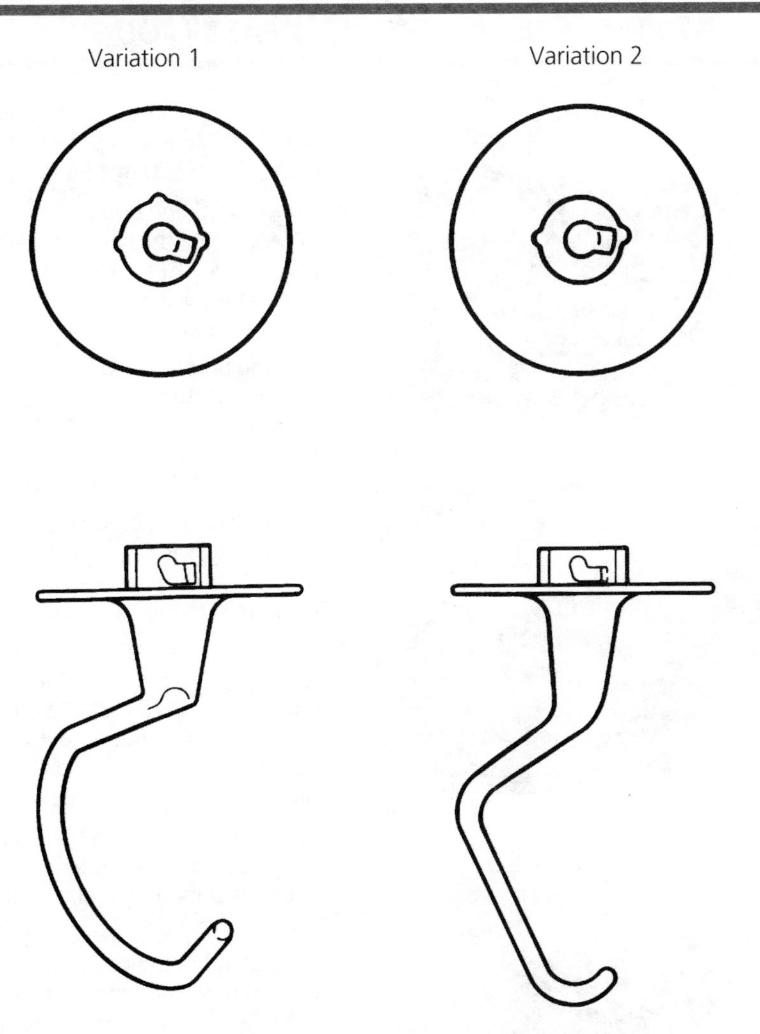

Before using your dough hook, determine which dough hook you have by looking at the collar as illustrated above.

The recipes in this Recipes and Instructions book have been written for dough hook Variation 1, follow recipes as stated. If your dough hook is Variation 2, mixing and kneading times stated for each recipe should be approximately doubled.

General Instructions
For Mixing And Kneading Yeast Dough

ILLUSTRATION A

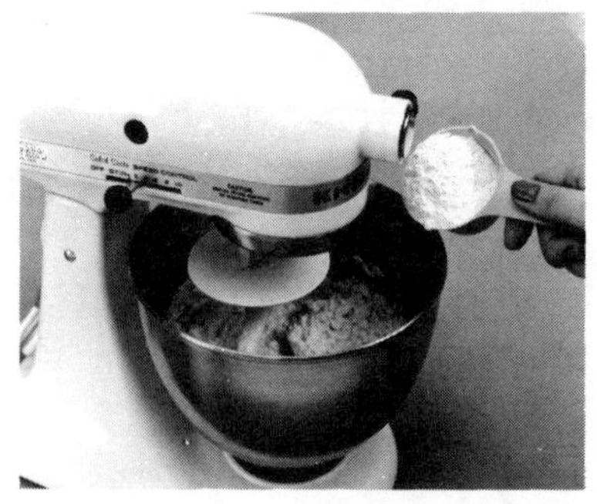

ILLUSTRATION B

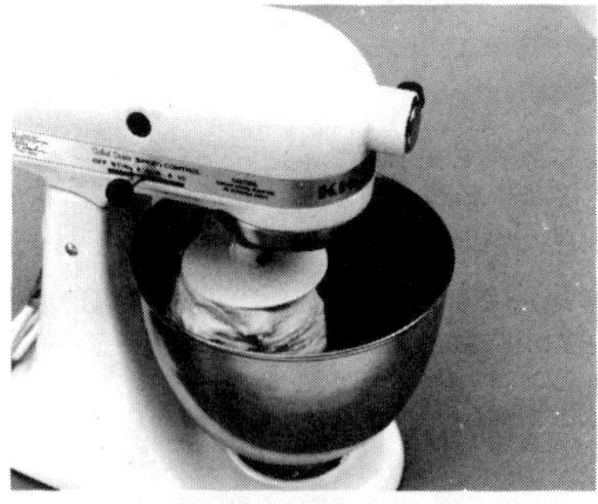

ILLUSTRATION C

1. Place all dry ingredients including yeast into bowl, except last 1 to 2 cups (250 to 500 mL) flour.
2. Attach bowl and dough hook. Lock K45SS/KSM90 head or raise K5SS/KSM5 bowl. Turn to Speed 2 and mix about 15 seconds or until ingredients are combined.
3. Continuing on Speed 2, gradually add liquid ingredients to flour mixture, about 30 seconds to 1 minute. Mix 1 minute longer. See Illustration A.

   NOTE: If liquid ingredients are added too quickly, they will form a pool around the dough hook and slow down mixing process.
4. Continuing on Speed 2, gently tap remaining flour around sides of bowl, ½ cup (125 mL) at a time, as needed. See Illustration B. Mix until dough clings to hook and cleans sides of bowl, about 2 minutes.
5. When dough clings to hook, knead on Speed 2 for 2 minutes or until dough is smooth and elastic. See Illustration C.
6. Unlock and raise head on K45SS/KSM90 or lower bowl on K5SS/KSM5 and remove dough from hook. Follow directions in recipe for rising, shaping and baking.

NOTE: These instructions illustrate bread making with the Rapid Mix method. When using the conventional method, dissolve yeast in warm water in warmed bowl. Add remaining liquids and dry ingredients–except last 1 to 2 cups (250 to 500 mL) flour. Turn to Speed 2 for about 1 minute, or until ingredients are thoroughly mixed. Proceed with Steps 4 through 6.

Bread Making Tips

Making bread in your new Mixer is quite different from making bread by hand. Therefore, it will take some practice before you are completely comfortable with the new process. For your convenience, we have listed some bread making tips to help you become accustomed to bread making the KitchenAid way.

- Start out with an easy recipe, like Basic White Bread, until you are familiar with using the dough hook.
- NEVER use recipes calling for more than 8 cups (2 L) all-purpose flour or 6 cups (1.5 L) whole wheat flour when making dough with a K45SS or KSM90 mixer.
- NEVER use recipes calling for more than 10 cups (2.5 L) all-purpose flour or 8 cups (2 L) whole wheat flour when making dough with a K5SS or KSM5 mixer.
- Use a candy or other kitchen thermometer to assure that liquids are at temperature specified in the recipe. Liquids at higher temperatures can kill yeast, while liquids at lower temperatures will retard yeast growth.
- Warm all ingredients to room temperature to ensure proper rising of dough. If yeast is to be dissolved in bowl, always warm bowl first by rinsing with warm water to prevent cooling of liquids.
- Allow bread to rise in a warm place, 80°F to 85°F (27°C to 30°C), free from draft, unless otherwise specified in recipe.
- Recipe rising times may vary due to temperature and humidity in your kitchen. Dough has doubled in bulk when indentation remains after tips of fingers are pressed lightly and quickly into dough.
- Most bread recipes give a range in the amount of flour to be used. Enough flour has been added when the dough clings to the hook and cleans sides of bowl. If dough is sticky or humidity is high, slowly add more flour, ½ cup (125 mL) at a time, but NEVER exceed recommended flour capacity. Knead each addition of flour until completely worked into dough. If too much flour is added a dry loaf will result.
- Bread doughs differ and some types of dough, especially whole grain recipes, may not form a ball on the hook. However, as long as the hook comes in contact with the dough, kneading will be accomplished.
- Some large recipes and soft doughs may occasionally climb over the collar of the hook. This usually indicates that the dough is sticky and more flour should be added. The sooner all the flour is added, the less likely the dough is to climb the hook. For such recipes, try starting with all but the last cup (250 mL) of flour in the initial mixing process. Then add the remaining flour as quickly as possible.
- To check loaves for doneness, remove one loaf from its pan and tap the bottom. If it sounds hollow, it is done. Turn loaves onto racks immediately after baking to prevent sogginess.

Shaping A Loaf

Divide dough in half and roll each half into a rectangle, approximately 9 x 14 inches (23 x 36 cm). A rolling pin will smooth dough and remove gas bubbles.

Starting at short end, roll dough tightly. Pinch dough to seal seam.

Pinch ends and turn under. Place, seam side down, in loaf pan. Follow directions in recipe for rising and baking.

Basic White Bread

½ cup	milk	125 mL
3 tablespoons	granulated sugar	45 mL
2 teaspoons	salt	10 mL
3 tablespoons	butter or margarine	45 mL
2 packages	active dry yeast	2 packages
1½ cups	warm water (105°F to 115°F [40°C to 45°C])	375 mL
5-6 cups	all-purpose flour	1.25 L to 1.5 L

Combine milk, sugar, salt, and butter in small saucepan. Heat over low heat until butter melts and sugar dissolves. Cool to lukewarm.

Dissolve yeast in warm water in warmed bowl. Add lukewarm milk mixture and 4½ cups (1.125 L) flour. Attach bowl and dough hook. Turn to Speed 2 and mix 1 minute. Continuing on Speed 2, add remaining flour, ½ cup (125 mL) at a time, until dough clings to hook and cleans sides of bowl. Knead on Speed 2 for 2 minutes longer, or until dough is smooth and elastic. Dough will be slightly sticky to the touch.

Place in a greased bowl, turning to grease top. Cover; let rise in warm place, free from draft, until doubled in bulk, about 1 hour.

Punch dough down and divide in half. Shape each half into a loaf and place in a greased 8½ x 4½ x 2½-inch (21 x 12 x 6 cm) loaf pan. Cover; let rise in warm place, free from draft, until doubled in bulk, about 1 hour.

Bake at 400°F (200°C) for 30 minutes. Remove from pans immediately and cool on wire racks.

Yield: 2 loaves.

Basic Sweet Dough

¾ cup	milk	175 mL
½ cup	granulated sugar	125 mL
1¼ teaspoons	salt	6 mL
½ cup	butter or margarine	125 mL
2 packages	active dry yeast	2 packages
⅓ cup	warm water (105°F to 115°F [40°C to 45°C])	75 mL
3	eggs, at room temperature	3
5½-6½ cups	all-purpose flour	1.375 L-1.625 L

Combine milk, sugar, salt, and butter in small saucepan. Heat over low heat until butter melts and sugar dissolves. Cool to lukewarm.

Dissolve yeast in warm water in warmed bowl. Add lukewarm milk mixture, eggs, and 5 cups (1.25 L) flour. Attach bowl and dough hook. Turn to Speed 2 and mix 2 minutes.

Continuing on Speed 2, add remaining flour, ½ cup (125 mL) at a time, until dough clings to hook and cleans sides of bowl, about 2 minutes. Knead on Speed 2 for 2 minutes longer.

Place in a greased bowl, turning to grease top. Cover, let rise in warm place, free from draft until doubled in bulk, about 1 hour.

Punch dough down and shape as desired for rolls or coffee cakes.

Cinnamon Swirl Rounds

1 cup	brown sugar	250 mL
1 cup	granulated sugar	250 mL
½ cup	butter or margarine	125 mL
¼ cup	all-purpose flour	50 mL
4½ teaspoons	cinnamon	22 mL
½ cup	chopped nuts	125 mL
1 recipe	Basic Sweet Dough	1 recipe

Place brown sugar, sugar, butter, flour, cinnamon, and nuts in bowl. Attach bowl and flat beater. Turn to Speed 2 and mix for 1 minute.

Roll dough to a 10 x 30 x ¼-inch (25 cm x 80 cm x 6 mm) rectangle. Spread sugar-cinnamon mixture evenly on dough. Roll dough tightly from long side to form 30-inch (80 cm) roll, pinching seam together. Cut into twenty-one 1½-inch (3.7 cm) slices.

Place 7 rolls each in 3 greased 8 x 1½-inch (19 x 3.7 cm) cake pans. Cover; let rise in warm place, free from draft, until doubled in bulk, about 1 hour.

Bake at 350°F (180°C) for about 20 minutes. Remove from pans immediately. Spread CARAMEL GLAZE over warm rolls.

Yield: 21 rolls.

CARAMEL GLAZE

⅓ cup	evaporated milk	75 mL
2 tablespoons	brown sugar	25 mL
1½ cups	icing sugar	375 mL
1 teaspoon	vanilla	5 mL

Combine evaporated milk and brown sugar in small saucepan. Over medium heat, cook, stirring constantly, until mixture begins to boil.

Place milk mixture, icing sugar, and vanilla in bowl. Attach bowl and flat beater. Turn to Speed 4 and beat until creamy, about 2 minutes.

Honey Oatmeal Bread

1½ cups	water	375 mL
½ cup	honey	125 mL
⅓ cup	butter or margarine	75 mL
5½-6½ cups	all-purpose flour	1.375-1.625 L
1 cup	quick cooking oats	250 mL
2 teaspoons	salt	10 mL
2 packages	active dry yeast	2 packages
2	eggs	2
1 tablespoon	water	15 mL
1	egg white	1
	Oatmeal	

Combine water, honey, and butter in small saucepan. Heat over low heat until liquids are very warm (120°F to 130°F [50°C to 55°C]).

Place 5 cups (1.25 L) flour, oats, salt, and yeast in bowl. Attach bowl and dough hook. Turn to Speed 2 and mix 15 seconds. Gradually add warm liquids to flour mixture, about 1 minute. Add eggs and mix an additional minute.

Continuing on Speed 2, add remaining flour, ½ cup (125 mL) at a time, until dough clings to hook and cleans sides of bowl. Knead on Speed 2 for 2 minutes longer.

Place in a greased bowl, turning to grease top. Cover; let rise in warm place, free from draft, until doubled in bulk, about 1 hour.

Punch dough down and divide in half. Shape each half into a loaf and place in a greased 8½ x 4½ x 2½-inch (21 x 12 x 6 cm) loaf pan. Cover; let rise in warm place, free from draft, until doubled in bulk, about 1 hour.

Combine water and egg white. Brush tops of loaves with mixture. Sprinkle with oatmeal. Bake at 375°F (190°F) for 40 minutes. Remove from pans immediately and cool on wire racks.

Yield: 2 loaves.

Sixty-Minute Rolls

1 cup	milk	250 mL
½ cup	water	125 mL
¼ cup	butter or margarine	50 mL
4-5 cups	all-purpose flour	1-1.25 L
3 tablespoons	granulated sugar	45 mL
1 teaspoon	salt	5 mL
2 packages	active dry yeast	2 packages

Combine milk, water, and butter in small saucepan. Heat over low heat until liquids are very warm (120°F to 130°F [50°C to 55°C]); butter does not need to melt.

Place 3½ cups (875 mL) flour, sugar, salt, and yeast in bowl. Attach bowl and dough hook. Turn to Speed 2 and mix 15 seconds. Gradually add warm liquids to flour mixture, about 30 seconds. Mix 1 minute longer.

Continuing on Speed 2, add remaining flour, ½ cup (125 mL) at a time, until dough clings to hook and cleans sides of bowl, about 2 minutes. Knead on Speed 2 for 2 minutes longer.

Place in a greased bowl, turning to grease top. Cover; let rise in warm place, free from draft, 15 minutes.

Turn dough onto floured board. Shape as desired. See variations below. Cover; let rise in slightly warm oven (90°F [32°C]) for 15 minutes. Bake at 425°F (220°C) for 12 minutes or until done. Remove from pans and cool on wire racks.

Curlicues: Divide dough in half and roll each to a 12 x 9-inch (30 x 22 cm) rectangle. Cut 12 equal strips about l-inch (2.5 cm) wide. Roll each strip tightly to form a coil, tucking ends underneath. Place on greased baking sheets about 2 inches (5 cm) apart.

Cloverleaf: Divide dough into 24 equal pieces. Form each piece into a ball and place in greased muffin pan. With scissors, cut each ball in half, then quarters.

Yield: 2 dozen rolls.

Dill Wheat Bread

2 packages	active dry yeast	2 packages
¼ cup	warm water (105°F to 115°F [40°C to 45°C])	50 mL
¼ cup	honey	50 mL
2 cups	large curd cottage cheese	500 mL
2 tablespoons	grated fresh onion	25 mL
¼ cup	butter or margarine, melted	50 mL
¼ cup	dill seed	50 mL
1 tablespoon	salt	15 mL
½ teaspoon	baking soda	2 mL
2	eggs	2
4-4½ cups	whole wheat flour	1-1.125 L

Dissolve yeast in warm water in warmed bowl. Add 1 tablespoon (15 mL) honey and let stand 5 minutes.

Add cottage cheese, remaining honey, onion, butter, dill seed, salt, and soda. Attach bowl and flat beater. Turn to Stir Speed and mix 30 seconds. Add eggs and turn to Stir Speed for 15 seconds.

Exchange beater for dough hook and add 3 cups (750 mL) flour. Turn to Speed 2 and mix until combined, about 1 minute. Add remaining flour, ½ cup (125 mL) at a time, until dough clings to hook and cleans sides of bowl. Knead on Speed 2 for 2 minutes longer.

NOTE: Dough may not form a ball on hook; however, as long as there is contact between dough and hook, kneading will be accomplished. Do not add more than the maximum amount of flour specified or dry loaf will result.

Place in greased bowl, turning to grease top. Cover; let rise in warm place, free from draft, until doubled in bulk, about l hour.

Punch dough down and divide in half. Shape each half into a loaf and place in a greased 8½ x 4½ x 2½-inch (21 x 12 x 6 cm) loaf pan. Cover; let rise in warm place, free from draft, until doubled in bulk, about 45 minutes.

Bake at 350°F (180°C) for 40 to 50 minutes or until done. Remove from pans immediately and cool on wire racks.

Yield: 2 loaves.

Brioche

2 packages	active dry yeast	2 packages
1 cup	warm milk (105°F to 115°F [40°C to 45°C])	250 mL
3¾-4¼ cups	unbleached flour	925 mL-1.05 L
¾ cup	butter or margarine, softened	175 mL
6 tablespoons	granulated sugar	90 mL
1 teaspoon	salt	5 mL
3	eggs	3
1	egg yolk	1

Sponge:

Dissolve yeast in warm milk in medium-sized bowl. Add 1¾ cups (425 mL) flour and mix thoroughly. Cover bowl with plastic wrap and allow mixture to rise 45 minutes.

Dough:

Place butter, sugar, and salt in mixer bowl. Attach bowl and flat beater. Turn to Speed 4 and cream ingredients 1 minute. Stop and scrape bowl. Turn to Speed 2 and add eggs and egg yolk, one at a time, beating 15 seconds after each addition.

Exchange beater for dough hook and add 1¾ cups (425 mL) flour. Turn to Speed 2 and mix 1 minute until well combined. Continuing on Speed 2, add remaining flour, ¼ cup (50 mL) at a time, until dough clings to hook and cleans sides of bowl.

Add sponge to dough. Turn to Speed 2 and knead 3 minutes. Sponge should knead into dough completely within 3 minutes.

Place dough in a greased bowl, turning to grease top. Cover; let rise at room temperature, until doubled in bulk, about 2 hours.

Punch dough down. Cover bowl with plastic wrap and refrigerate at least 4 hours or overnight.

Punch dough down. Shape into 3 large or 24 individual brioche. Work quickly as dough will become sticky and difficult to handle as it warms to room temperature. Place in greased fluted brioche pans. Cover; let rise at room temperature, until doubled in bulk, about 1 hour.

Bake at 375°F (190°C) until golden; 20 to 25 minutes for large loaves or 10 to 15 minutes for individual loaves. Remove from pans immediately and cool on wire racks.

Yield: 3 large brioche or 24 individual brioche.

English Muffin Loaves

2 cups	milk	500 mL
½ cup	water	125 mL
5-6 cups	all-purpose flour	1.25-1.5 L
2 packages	active dry yeast	2 packages
1 tablespoon	granulated sugar	15 mL
2 teaspoons	salt	10 mL
¼ teaspoon	baking soda	1 mL
	Cornmeal	

Combine milk and water in small saucepan. Heat over low heat until liquids are very warm (120°F to 130°F [50°C to 55°C]).

Place 4 cups (1 L) flour, yeast, sugar, salt, and baking soda in bowl. Attach bowl and dough hook. Turn to Speed 2 and mix 15 seconds. Gradually add warm liquids to flour mixture, about 30 seconds. Mix 1 minute longer.

Continuing on Speed 2, add remaining flour, ½ cup (125 mL) at a time. Knead on Speed 2 for 2 minutes longer. Dough will be very sticky.

Spread dough into two 8½ x 4½ x 2½-inch (21 x 12 x 6 cm) loaf pans that have been greased and sprinkled with cornmeal. Cover; let rise in warm place, free from draft, for 45 minutes.

Bake at 400°F (200°C) for 25 minutes. Remove from pans immediately and cool on wire racks.

Yield: 2 loaves.

Cheddar Crown Loaf

1¾ cups	milk	425 mL
½ cup	water	125 mL
3 tablespoons	butter or margarine	45 mL
6½-7½ cups	all-purpose flour	1.625-1.875 L
2 tablespoons	granulated sugar	25 mL
1 tablespoon	salt	15 mL
2 packages	active dry yeast	2 packages
2 cups	shredded sharp Cheddar cheese	500 mL
2 tablespoons	butter or margarine, melted	25 mL
¼ teaspoon	caraway seed (optional)	1 mL

Combine milk, water, and 3 tablespoons (45 mL) butter in small saucepan. Heat over low heat until liquids are very warm (120°F to 130°F [50°C to 55°C]).

Place 6 cups (1.5 L) flour, sugar, salt, and yeast in bowl. Attach bowl and dough hook. Turn to Speed 2 and mix 15 seconds. Gradually add cheese, then warm liquids, about 45 seconds. Mix on Speed 2 until ingredients are thoroughly combined, about 1 minute longer.

Continuing on Speed 2, add remaining flour, ½ cup (125 mL) at a time, until dough clings to hook and cleans sides of bowl. Knead on Speed 2 for 2 minutes longer.

Place in a greased bowl, turning to grease top. Cover; let rise in warm place, free from draft, until doubled in bulk, about 40 minutes.

Punch dough down. Divide into 32 equal pieces. Shape each piece into a smooth ball. Arrange 16 balls in bottom of greased 10-inch (25 cm) tube pan. Brush with melted butter and sprinkle with half of caraway seed. Arrange remaining balls of dough on top. Brush with melted butter and sprinkle with remaining caraway seed.

Cover; let rise in warm place, free from draft, until doubled in bulk, about 45 minutes. Bake at 375°F (190°C) for 40 minutes. Remove from pan immediately and cool on wire rack.

Yield: 1 loaf.

Rapid Mix Cool Rise White Bread

6-7 cups	all-purpose flour	1.5-1.75 L
2 tablespoons plus 1 teaspoon	granulated sugar	30 mL
3½ teaspoons	salt	17 mL
3 packages	active dry yeast	3 packages
¼ cup	butter or margarine, softened	50 mL
2 cups	very warm water (120°F to 130°F [50°C to 55°C])	500 mL

Place 5½ cups (1.375 mL) flour, sugar, salt, yeast, and butter in bowl. Attach bowl and dough hook. Turn to Speed 2 and mix 15 seconds. Gradually add warm water, about 30 seconds. Mix 1 minute longer.

Continuing on Speed 2, add remaining flour, ½ cup (125 mL) at a time, until dough clings to hook and cleans sides of bowl, about 2 minutes. Knead on Speed 2 for 2 minutes longer.

Remove bowl and cover dough with plastic wrap, then a towel. Let rest 20 minutes.

Divide dough in half and shape each half into a loaf. Place in a greased 9 x 5 x 3-inch (23 x 13 x 7.5 cm) loaf pan. Brush each loaf with oil and cover loosely with plastic wrap. Refrigerate 2 to 12 hours.

When ready to bake, uncover dough carefully. Let stand at room temperature 10 minutes. Puncture any gas bubbles which may have formed.

Bake at 400°F (200°C) for 35 to 40 minutes. Remove from pans immediately and cool on wire racks.

Yield: 2 loaves.

Crusty Pizza Dough

1 package	active dry yeast	1 package
1 cup	warm water (105°F to 115°F [40°C to 45°C])	250 mL
½ teaspoon	salt	2 mL
2 teaspoons	olive oil	10 mL
2½-3½ cups	all-purpose flour	625-875 mL
	Cornmeal	

Dissolve yeast in warm water in warmed bowl. Add salt, olive oil, and 2½ cups (625 mL) flour. Attach bowl and dough hook. Turn to Speed 2 and mix 1 minute.

Continuing on Speed 2, add remaining flour, ½ cup (125 mL) at a time, until dough clings to hook and cleans sides of bowl. Knead on Speed 2 for 2 minutes.

Place in greased bowl, turning to grease top. Cover; let rise in warm place, free from draft, until doubled in bulk, about 1 hour. Punch dough down.

Brush 14-inch (35 cm) pizza pan with oil; sprinkle with cornmeal. Press dough across bottom of pan forming a collar around edge to hold filling. Top with desired fillings. Bake at 450°F (230°C) for 15 to 20 minutes.

Yield: One 14-inch (35 cm) pizza.

Orange Breakfast Bread

⅓ cup	milk	75 mL
½ cup	butter or margarine, softened	125 mL
⅓ cup	granulated sugar	75 mL
½ teaspoon	salt	2 mL
1 package	active dry yeast	1 package
¼ cup	warm water (105°F to 115°F [40°C to 45°C])	50 mL
2	eggs	2
3½-4 cups	all-purpose flour	875 mL-1 L
1½ cups	ricotta cheese	375 mL
½ cup	orange marmalade	125 mL
2 teaspoons	grated orange peel	10 mL
1 tablespoon	granulated sugar	15 mL

Combine milk, butter, sugar, and salt in a small saucepan. Heat over low heat until butter melts and sugar dissolves. Cool to lukewarm.

Dissolve yeast in warm water in warmed bowl. Add lukewarm milk mixture, eggs, and 2 cups (500 mL) flour. Attach bowl and dough hook. Turn to Speed 2 and mix 1 minute. Continuing on Speed 2, add remaining flour, ½ cup (125 mL) at a time, until dough clings to hook and cleans sides of bowl. Knead on Speed 2 for 2 minutes longer, or until dough is smooth and elastic.

Place in a greased bowl turning to grease top. Cover; let rise in warm place, free from draft, until doubled in bulk, about 1 hour.

Place ricotta cheese, orange marmalade, orange peel, and sugar in clean bowl. Attach bowl and flat beater. Turn to Stir Speed and mix 30 seconds.

Punch dough down. Roll into a 10 x 14-inch (25 x 35 cm) rectangle. Spread cheese mixture evenly over dough. Roll dough tightly from 10-inch (25 cm) side, pinching seams to seal. Pinch ends together to form a ring and place in a 10-inch (25 cm) bundt pan. Cover; let rise in a warm place, free from draft, until doubled in bulk, about 1 hour.

Bake at 350°F (180°C) for 35 to 40 minutes. Remove from pan immediately and cool on wire rack.

Yield: One 10-inch (25 cm) loaf.

KitchenAid Attachments And Accessories

General Information

KitchenAid attachments are designed to assure long life. The attachment power shaft and hub socket are of a square design, to eliminate any possibility of slipping during the transmission of power to the attachment. The hub and shaft housing are tapered to assure a snug fit, even after prolonged use and wear. KitchenAid attachments require no extra power unit to operate them; the power unit is built in.

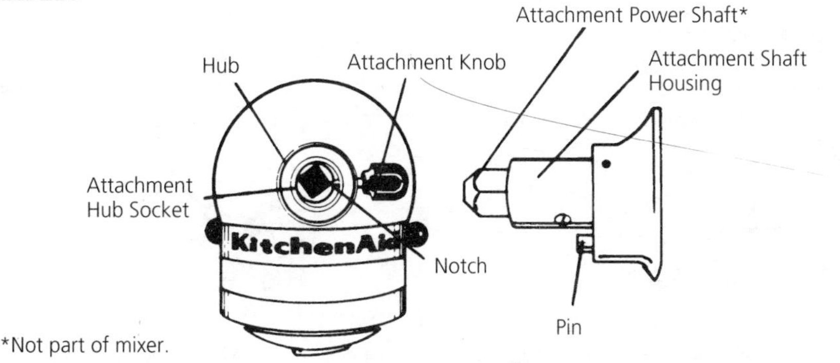

*Not part of mixer.

General Instructions

TO ATTACH:

1. Turn mixer off.
2. Loosen attachment knob by turning it counterclockwise.
3. Remove attachment hub cover.
4. Insert attachment shaft housing into attachment hub, making certain that attachment power shaft fits into square attachment hub socket. It may be necessary to rotate attachment back and forth. When attachment is in proper position, the pin on the attachment will fit into the notch on the hub rim.
5. Tighten attachment knob by turning clockwise until attachment is completely secured to mixer.

TO REMOVE:

1. Turn mixer off.
2. Loosen attachment knob by turning it counterclockwise. Rotate attachment slightly back and forth while pulling out.
3. Replace attachment hub cover.
4. Tighten attachment knob by turning it clockwise.

2 Piece Pouring Shield Model: KPS2CL

To Use With K45SS and KSM90 Mixer Models:

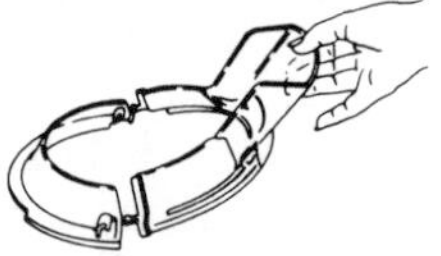

TO ATTACH (2 Ways):

1. Insert the tabs from the front part of the shield under the tab openings and lower to lock in place.

   Attach bowl to mixer. Place assembled shield on rim of bowl.

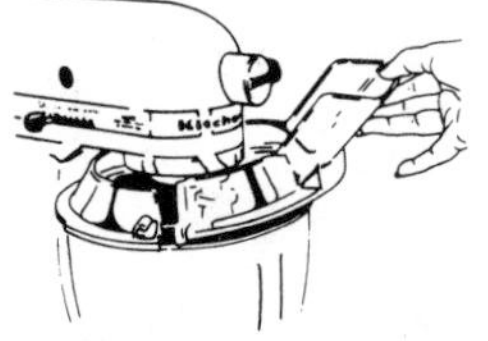

2. Attach bowl to mixer. Place rear part of the shield (without chute) on rim of bowl. Insert the tabs from the front part of the shield under the rear tab openings and lower to lock in place.

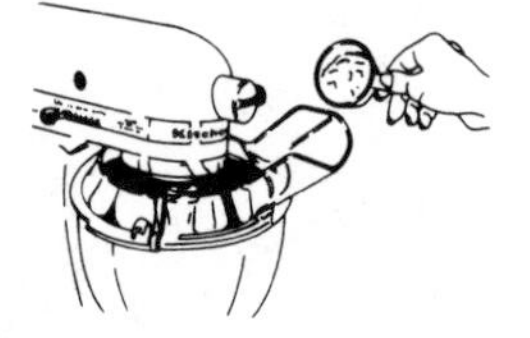

TO USE:

Lift mixer head. Attach flat beater, wire whip or dough hook. Lower beater attachment through chute portion of shield.

Pour ingredients into bowl through chute portion of shield.

TO SCRAPE BOWL:

Turn mixer off. Raise mixer head. Lift front part of shield up and pull away from rear of shield. Scrape.

Replace shield on rim of bowl by inserting the tabs under the tab openings and lowering to lock in place.

To Use With K5SS and KSM5 Mixer Models:

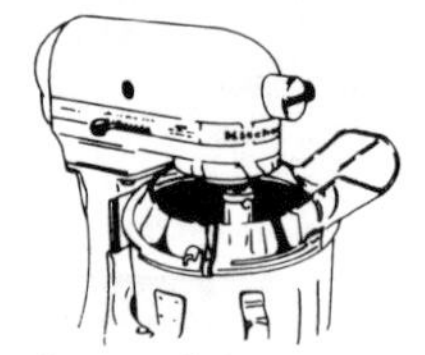

TO ATTACH (2 Ways):

See instructions under K45SS and KSM90 mixer models.

TO USE:

Put flat beater, wire whip, or dough hook into bowl through chute portion of shield and attach to mixer. Raise bowl to mixer head.

Pour ingredients into bowl through chute portion of shield.

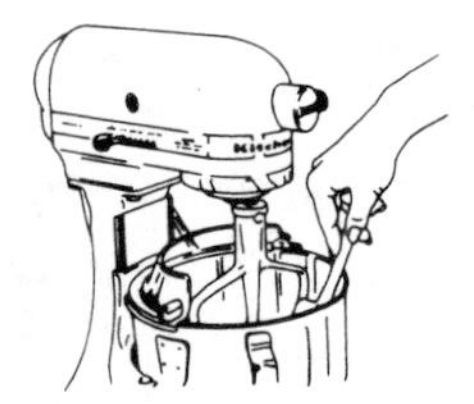

TO SCRAPE BOWL:

Turn mixer off. Lower bowl. Lift front part of shield up and pull away from rear of shield. Scrape.

Replace shield on rim of bowl by inserting the tabs under the tab openings and lowering to lock in place.

Food Grinder Model: FGA

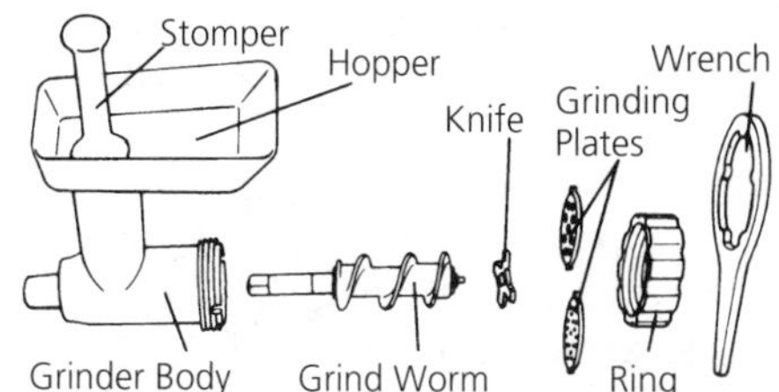

TO ASSEMBLE:
Insert the grind worm into grinder body. Place the knife over the square shank at exposed end of grind worm. Place grinding plate over the knife, matching the tabs of the plate with notches of the grinder body. Place ring on grinder body, turning by hand until secured but not over tightened. DO NOT USE WRENCH TO TIGHTEN RING.

TO ATTACH:
Loosen attachment knob (1) by turning it counterclockwise. Remove attachment hub cover. Insert attachment shaft housing (2) into attachment hub (3) making certain that attachment power shaft fits into square hub socket. Rotate attachment back and forth if necessary. When attachment is in proper position, the pin on the attachment will fit into the notch on the hub rim. Tighten attachment knob until attachment is completely secured to mixer. Please read General Information, Page 59.

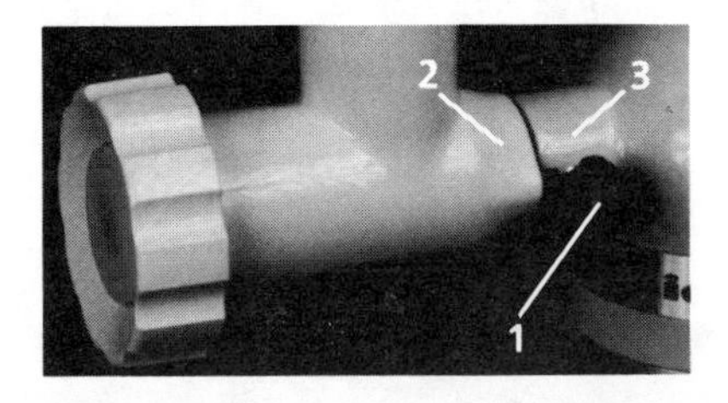

TO USE:
Please read Instruction Book packed with attachment before using.

Cut food into small strips or pieces and feed them into hopper. Meat should be cut into long narrow strips. Turn mixer to Speed 4 and feed food into hopper using stomper. **NEVER PUT YOUR FINGERS IN THE HOPPER.**

⚠CAUTION

Liquid may appear in hopper when processing large amounts of high moisture foods such as tomatoes or cranberries. To drain liquid, continue to operate mixer. DO NOT PROCESS ADDITIONAL FOOD UNTIL ALL LIQUID HAS DRAINED FROM HOPPER, DAMAGE TO MIXER MAY RESULT.

⚠WARNING

PERSONAL INJURY HAZARD

- **When using electrical appliances, basic safety precautions should be followed. Please refer to the Important Safety Instructions outlined on Page 3. In addition, these instructions should be followed:**
- **ALWAYS use stomper to press food into hopper. DO NOT USE FINGERS.**
- **DO NOT USE FINGERS to scrape food away from discharge disc while appliance is operating. Cut type injury may result.**

COARSE PLATE: Use for grinding cooked meats for salads, raw pork for sausage, firm vegetables, dried fruits and cheese.

FINE PLATE: Use for grinding raw meat products, cooked meats for spreads and bread for crumbs.

GRINDING MEAT: For better mix and more tender results, grind beef twice. Best texture results from grinding very cold or partially frozen meat. Pork is a fatty meat and should be ground only once.

GRINDING BREAD: To grind bread for bread crumbs, be sure that bread is either oven dried thoroughly to remove all moisture, or not dried at all. Partially dried bread may jam the Food Grinder.

Very hard, dense foods such as totally dried homemade bread should not be ground in the Food Grinder. Home-made bread should be ground fresh and then oven or air dried.

TO LOOSEN RING: If ring is too tight to remove by hand, slip wrench over grooves. Turn wrench handle counter-clockwise.

⚠CAUTION

NEVER USE WRENCH TO ATTACH RING TO GRINDER BODY, DAMAGE TO ATTACHMENT MAY RESULT.

Sausage Stuffer Model: SSA

A Sausage Stuffer attachment is available for use with the Food Grinder. Use the small Sausage Stuffer Tube to make breakfast sausage and the large Sausage Stuffer Tube to prepare Bratwurst, Italian or Polish sausage.

TO ATTACH: Remove grinding plate and knife. Select desired sausage stuffer tube and place through retainer ring, then place ring onto grinder body, turning by hand until secure but not over tightened.

TO STUFF SAUSAGE:
Please read Instruction Booklet packed with attachment before using.

If using natural casings, first soak them in cold water for 30 minutes to remove excess salt, then rinse several times by running cold water through entire length of casing.

Grease stuffer with shortening and slide 3 to 4 feet (0.9 to 1.2 metres) of casing onto stuffer. Tie end of casing with string to seal. Turn mixer to Speed 4 and slowly feed ground meat mixture into hopper using stomper. Hold tied end of casing in one hand and guide meat mixture as it fills casing. Do not pack meat mixture too tightly into casing; allow enough room to twist sausage into smaller links and for expansion during cooking. If an air pocket develops, pierce with a tooth-pick or skewer. To complete a recipe using several pounds of meat, it may be necessary to repack the Sausage Stuffer with casing several times to use all of the ground meat mixture.

To form smaller links, lay the entire length of sausage on a flat surface and twist filled casing several times at regular intervals. Fresh sausage may be stored 1 to 2 days in the refrigerator or up to 1 month in the freezer.

Chicken Liver Pâté

1 pound	chicken livers	500 g
3	hard cooked eggs	3
1	small onion, quartered	1
¼ cup	butter or margarine, softened	50 mL
	Dash pepper	
½ teaspoon	salt	2 mL
⅛ teaspoon	cayenne pepper	0.5 mL
⅛ teaspoon	onion powder	0.5 mL
⅛ teaspoon	garlic salt	0.5 mL

Broil livers until done. Do not overcook. Assemble and attach Food Grinder, using fine grinding plate. Turn to Speed 4 and grind livers, eggs, and onion into bowl.

Attach bowl and flat beater. Add butter, pepper, salt, cayenne pepper, onion powder, and garlic salt. Turn to Stir Speed for 30 seconds and increase to Speed 4. Mix until smooth and fluffy, about 1 minute. Cover with plastic wrap and refrigerate. Serve with assorted crackers.

Yield: 2 cups (500 mL).

Hot Chili Dip

5	jalapeno chilies	5
1	large green pepper, seeded and cut into sixths	1
5	large tomatoes, peeled and cut into sixths	5
1	small onion, cut into sixths	1
1	clove garlic	1
1 teaspoon	salt	5 mL
½ teaspoon	dried oregano	2 mL

Assemble and attach Food Grinder using coarse grinding plate. Turn to Speed 4 and grind chilies, green pepper, tomatoes, onion, and garlic into bowl. Add salt and oregano. Attach bowl and flat beater. Turn to Speed 2 and mix for 1 minute. Transfer mixture to storage container and refrigerate overnight before serving. Serve with taco chips.

Yield: 4 cups (1 L).

Monterey Meat Roll

1-8 oz. can	tomato sauce	1-227 mL can
1-5½ oz. can	tomato paste	1-156 mL can
1 teaspoon	oregano	5 mL
1 pound	beef	500 g
½ pound	veal	250 g
½ pound	pork	250 g
1	small onion, quartered	1
¾ cup	fresh bread crumbs	175 mL
1	egg	1
½ teaspoon	salt	2 mL
¼ teaspoon	pepper	1 mL
2 cups	shredded Monterey Jack cheese	500 mL

Combine tomato sauce, tomato paste, and ½ teaspoon (2 mL) oregano in a small bowl. Set aside.

Assemble and attach Food Grinder using fine grinding plate. Turn to Speed 4 and grind beef, veal, pork, and onion into bowl. Add bread crumbs, egg, remaining oregano, salt, pepper, and ½ of tomato mixture to bowl.

Attach bowl and flat beater. Turn to Speed 2 and mix for 1 minute. Turn out onto waxed paper and shape into a 9 x 13-inch (22 x 34 cm) rectangle. Sprinkle cheese evenly over meat. Roll up, beginning at longest side. Press edges and ends of roll together to seal.

Place on ungreased baking sheet, seam side down. Bake at 350°F (180°C) for 1 hour, 15 minutes. Drain off excess fat. Pour remaining tomato mixture on top. Return to oven and bake 15 minutes more.

Yield: 10 servings.

Apple Relish

5	onions, quartered	5
1 teaspoon	crushed red pepper	5 mL
1 cup	boiling water	250 mL
1 tablespoon	salt	15 mL
14	large red apples, cored and quartered	14
4 cups	white vinegar	1 L
4 cups	granulated sugar	1 L
2 teaspoons	allspice	10 mL
1 tablespoon	whole cloves	15 mL
1 stick	cinnamon	1 stick

Assemble and attach Food Grinder using coarse grinding plate. Turn to Speed 4 and grind onions and red pepper into a small bowl. Add water and salt. Let stand 15 minutes, then drain.

Attach clean Food Grinder with coarse grinding plate. Grind apples into a 5-quart (4.7 L) pot. Add onion and red pepper, vinegar, sugar, and cloth bag filled with spices. Bring to a boil and cook 15 minutes. Remove spice bag. Ladle into hot, sterilized jars and process 15 minutes in boiling water bath. Remove jars from bath, cool and check seals.

Yield: about 6 pints (3 L).

Rotor Slicer/Shredder Model: RVSA

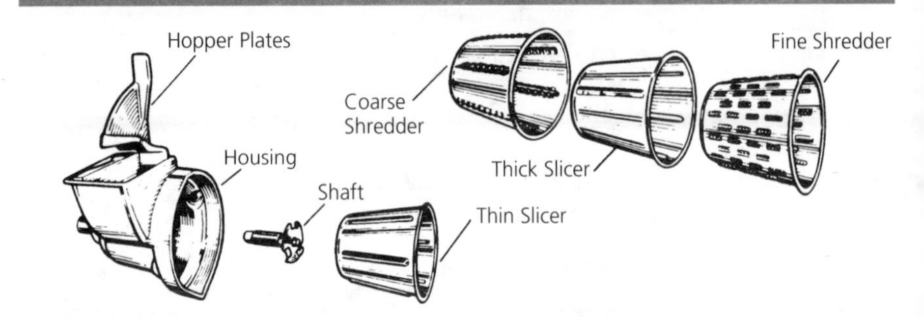

⚠WARNING

PERSONAL INJURY HAZARD

- **When using electrical appliances, basic safety precautions should be followed. Please refer to the Important Safety Instructions outlined on Page 3. In addition, these instructions should be followed:**
- **ALWAYS use a completely assembled slicer.**
- **ALWAYS use hopper plate holding it by the handle to depress food. NEVER USE FINGERS OR A SPOON.**
- **Blades on cones are sharp. Handle carefully. Failure to follow these instructions could result in personal injury.**

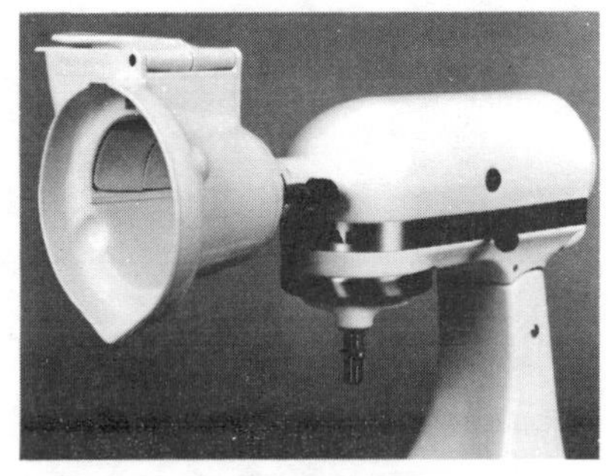

TO ATTACH AND ASSEMBLE:
Loosen attachment knob by turning it counterclockwise. Remove attachment hub cover. Insert housing into the attachment hub of mixer and tighten knob. When attachment is in proper position, the pin on the attachment will fit into the notch on the hub rim. Please read General Information, Page 59.

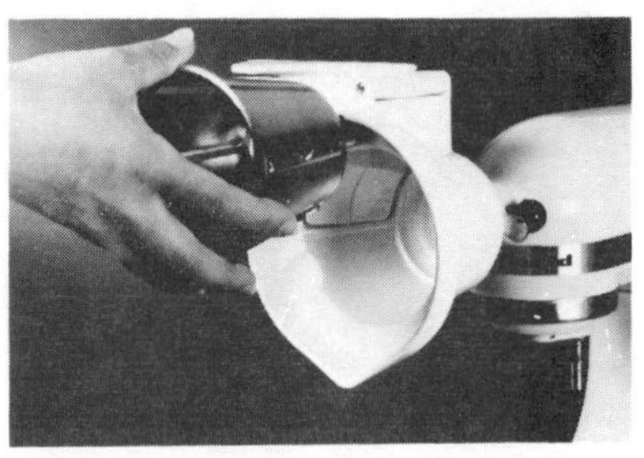

Attach shaft to desired cone.

Insert square end of shaft in square opening of housing and tighten by turning cone clockwise. Reverse to remove.

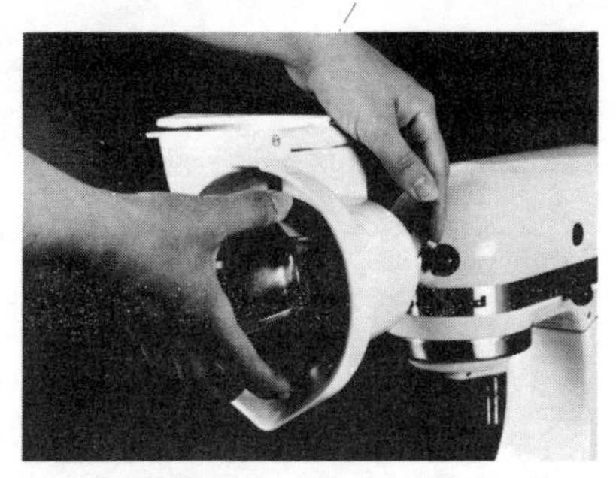

Insert cone unit into housing so that shaft fits into square hub socket. The cone unit is automatically locked into position with latch when cone is pushed in all the way.

TO USE:

Please read Instruction Booklet packed with attachment before using.

To use Slicer/Shredder, lift the handles of the hopper plates and place food in the hopper. Turn to Speed 4 and push down on handles. If slicing or shredding single items like celery, one half of the hopper may be used by lifting only one handle for adding food. Catch the food in a deep bowl.

CONES AND THEIR USES:

All cones are numbered on the closed end.

Replacement cones should be ordered by number.

NO. 1 FINE SHREDDER:

Finely shreds hard and crisp vegetables, such as carrots, beets, turnips, potatoes, celery, nuts, firm cold cheese, coconut and dry bread.

NO. 2 COARSE SHREDDER:

Coarsely shreds carrots, celery, onions fruits, nuts, or chocolate. Potatoes can be shredded for shoestrings or hash browns.

NO. 3 THICK SLICER:

Gives a thick slice for firm foods. Perfect for vegetables that are to be steamed, fried, scalloped or creamed.

NO. 4 THIN SLICER:

Thinly slices vegetables for cole slaw, potato chips, sauerkraut, bread and butter pickles, sliced cucumbers, radishes, celery and nuts.

TO CHANGE CONES:

The latch must be raised to remove cone unit. Cones may be easily changed by inserting square end of shaft in square opening and turning counter-clockwise.

Zucchini Bread

2	small zucchini, trimmed	2
1 cup	nuts	250 mL
3	eggs	3
2 cups	granulated sugar	500 mL
1 cup	vegetable oil	250 mL
1 tablespoon	vanilla	15 mL
3 cups	all-purpose flour	750 mL
1 tablespoon	cinnamon	15 mL
1 teaspoon	salt	5 mL
1 teaspoon	baking soda	5 mL
¼ teaspoon	baking powder	1 mL
1 cup	raisins	250 mL

Assemble and attach Rotor Slicer/Shredder, using fine shredder cone (No. 1). Turn to Speed 4 and shred zucchini. Set aside. Exchange fine shredder cone for coarse shredder cone (No. 2). Turn to Speed 4 and chop nuts into separate bowl.

Attach bowl and flat beater and add eggs. Turn to Speed 4 and beat until eggs are light and foamy, about 2 minutes. Stop. Add sugar, oil, zucchini, and vanilla. Turn to Stir Speed and mix until well blended, about 1 minute. Stop.

Sift dry ingredients together. Turn to Stir Speed and gradually add dry ingredients until thoroughly mixed, about 1 minute. Stop and scrape bowl. Add raisins and nuts and mix on Stir Speed until well blended.

Pour into two greased 8½ x 4½ x 2½-inch (21 x 12 x 6 cm) loaf pans. Bake at 350°F (180°C) for 1 hour. Remove from pans and cool on wire racks.

Yield: 2 loaves.

Mushroom Swiss Onion Quiche

8 ounces	Swiss cheese	227 g
1	small onion, halved	1
¼ pound	fresh mushrooms	125 g
1	pre-baked 9-inch (23 cm) pastry shell	1
4	eggs	4
1 cup	whipping cream	250 mL
1 teaspoon	salt	5 mL
2 tablespoons	parsley	25 mL
	Dash hot pepper sauce	
3 slices	bacon, crisply cooked and crumbled	3 slices

Assemble and attach Rotor Slicer/Shredder using fine shredder cone (No. 1). Turn to Speed 4 and shred cheese and onion, keeping each separate. Exchange fine shredder cone for thick slicer cone (No. 3). Turn to Speed 4 and slice mushrooms into separate bowl.

Place half of shredded cheese in pastry shell. Arrange sliced mushrooms on top of cheese. Arrange onion on top of mushrooms.

Place eggs in bowl. Attach bowl and flat beater. Turn to Speed 4 and beat 3 minutes. Add cream, salt, parsley, and hot pepper sauce. Turn to Speed 4 and beat 1 minute. Pour mixture into shell.

Top with remaining cheese and sprinkle with bacon. Bake at 350°F (180°C) for 30 minutes. Knife inserted in centre will come out clean when done. Serve immediately.

Yield: One 9-inch (23 cm) pie.

Pasta Maker Model: SNFGA

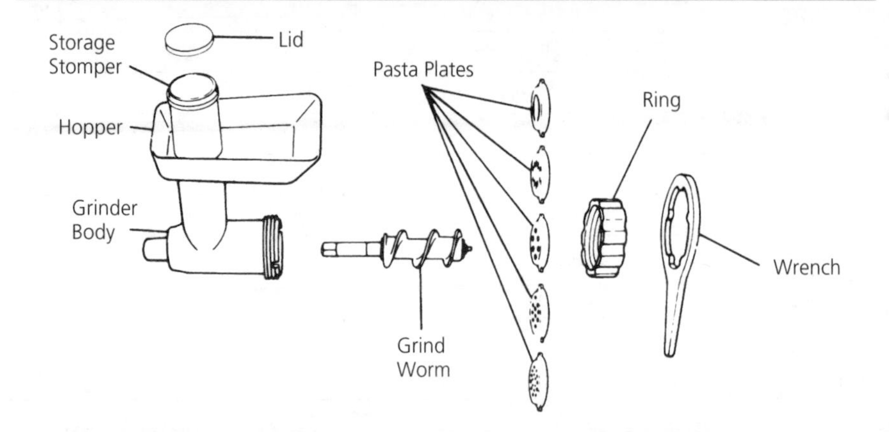

⚠WARNING

PERSONAL INJURY HAZARD

- **When using electrical appliances, basic safety precautions should always be followed. Please refer to the Important Safety Instructions outlined on Page 3. In addition, these instructions should be followed:**
- **NEVER USE FINGERS to press food into hopper. Always use stomper. Failure to follow these instructions could result in personal injury.**

TO ASSEMBLE:

Insert the grind worm into grinder body. Place one of the pasta plates over the exposed end of the grind worm, matching the tabs of the plate with the notches in the grinder body. Place ring onto grinder body, turning by hand until secured but not over tightened. DO NOT USE WRENCH TO TIGHTEN RING.

TO ATTACH:

Loosen attachment knob (1) by turning it counterclockwise. Remove attachment hub cover. Insert attachment shaft housing (2) into attachment hub (3) making certain that attachment power shaft fits into square hub socket. Rotate attachment back and forth if necessary. When attachment is in proper position the pin on the attachment will fit into the notch on the hub rim. Tighten attachment knob until attachment is completely secured to mixer. Please read General Information, Page 59.

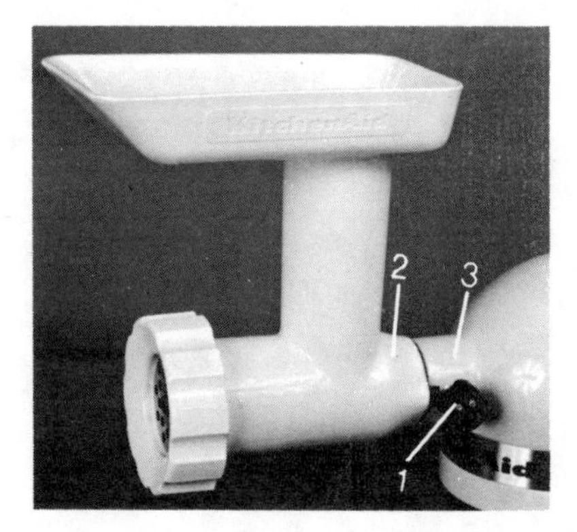

TO USE: ***Please read Instruction Booklet packed with attachment before using.***

Turn mixer to Speed 10. Slowly feed walnut size pieces of dough into hopper; dough should self-feed. The grind worm should be visible before adding the next piece of dough. Use stomper only if dough becomes caught in hopper and no longer self-feeds. See chart below for specific information for each plate.

Extrusion Plate	Extrusion Length	Separation	Storage
THIN SPAGHETTI (PLATE 1)	10 inches (25 cm); stop mixer and gently pull noodles away from plate	Lay on flat surface and separate immediately. Dry on a towel in a single layer.	Use immediately or thoroughly air dry and store in a plastic bag.
THICK SPAGHETTI (PLATE 2)	10 inches (25 cm); stop mixer and gently pull noodles away from plate	Lay on flat surface and separate immediately. Dry on a towel in a single layer.	Use immediately or thoroughly air dry and store in a plastic bag.
FLAT NOODLE (PLATE 3)	10 inches (25 cm); stop mixer and gently pull noodles away from plate	Lay on flat surface and separate immediately. Dry on a towel in a single layer.	Use immediately or thoroughly air dry and store in a plastic bag.
MACARONI (PLATE 4)	6 to 8 inches (15 to 20 cm); stop mixer and gently pull noodles away from plate	Lay on flat surface and gently separate. Partially dry on a towel in a single layer. When fairly firm, crack by hand or cut with a knife into smaller macaroni noodles.	Cook within 4 hours after extrusion.
LASAGNA (PLATE 5)	11 to 12 inches (28 to 30 cm); stop mixer and gently pull or cut strip with a knife away from plate	Partially dry on a towel in a single layer.	Cook within 4 hours or freeze in aluminum foil.

TO LOOSEN RING:

If ring is too tight to remove by hand, slip wrench over grooves. Turn wrench handle counterclockwise.

⚠CAUTION

NEVER USE WRENCH TO ATTACH RING TO GRINDER BODY, DAMAGE TO ATTACHMENT MAY RESULT.

TO CHANGE PLATES:

Whenever you wish to change plates, the unit must be completely disassembled, the dough cleaned out of the grinder body, and the unit reassembled as stated above.

Pasta Maker Plates (Model SNPA) are available to convert a Model FGA Food Grinder to a Pasta Maker.

Basic Egg Noodle Pasta

4	large eggs (⅞ cup [225 g])	4
1 tablespoon	water	15 mL
3½ cups	sifted all-purpose flour	875 mL

Place eggs, water, and flour in bowl. Attach bowl and flat beater. Turn to Speed 2 and mix 30 seconds.

Remove flat beater and attach dough hook. Turn to Speed 2 and knead 2 minutes.

Hand knead dough for 30 seconds to 1 minute. Cover with dry towel and let rest 15 minutes before extruding through Pasta Maker.

Follow cooking instructions, "To Cook Pasta."

Yield: 1¼ pounds (625 g) dough.

TO COOK PASTA:

Add 1 tablespoon (15 mL) salt and 1 tablespoon (15 mL) oil to 6 quarts (5.7 L) of boiling water. Gradually add pasta* and continue to cook at a slow boil until pasta is "al dente" or slightly firm to bite. Pasta floats on top of the water as it cooks, so stir occasionally to keep it cooking evenly. When done cooking, drain and rinse pasta in colander.

*For spaghetti, flat noodles and macaroni, cook entire recipe as stated above. For lasagna, cook half of the recipe first and the remaining half immediately after.

Marinara Sauce

1-28 oz. can	Italian tomatoes *	1-796 mL can
1-5½ oz. can	tomato paste	1-156 mL can
¼ cup	chopped parsley	50 mL
1 clove	garlic	1 clove
1 teaspoon	oregano	5 mL
1 teaspoon	salt	5 mL
¼ teaspoon	pepper	1 mL
6 tablespoons	olive oil	90 mL
⅔ cup	diced onion	150 mL
½ cup	dry white wine, optional	125 mL

Place tomatoes with juice, tomato paste, parsley, garlic, oregano, salt, and pepper in a blender or food processor container. Process until smooth.

Heat olive oil in a 12-inch (30 cm) skillet over medium heat. Add onions and saute 2 minutes. Add tomato mixture and wine. Reduce heat and simmer 30 minutes, stirring occasionally.

Yield: 4 cups (1 L).

*Two pounds (one kilogram) of fresh tomatoes may be substituted for canned tomatoes. Cut fresh tomatoes into quarters and simmer 1½ hours. Proceed as if using canned tomatoes.

Chicken Noodle Amandine

½ cup	butter or margarine	125 mL
1 cup	slivered almonds	250 mL
2 cups	mushrooms, sliced	500 mL
2 tablespoons	grated orange peel	25 mL
1 tablespoon	salt	15 mL
¼ teaspoon	pepper	1 mL
½ cup	chicken broth	125 mL
4 cups	cooked chicken, cut into cubes	1 L
3 cups	sour cream	750 mL
1	pasta recipe of flat noodles, cooked and drained	1

Melt ¼ cup (50 mL) butter in a saucepan over medium heat. Add almonds and stir until lightly browned. Remove from heat and set aside.

Melt remaining butter in a clean saucepan over medium heat. Add mushrooms and sauté 3 minutes. Add orange peel, salt, pepper, chicken broth, and chicken. Continue cooking an additional minute. Stir sour cream into chicken mixture, heat through, but do not boil. Serve immediately over hot noodles. Sprinkle with almonds.

Yield: 6 to 8 servings.

Tossed Macaroni

1¼ pounds	Ricotta cheese or small curd cottage cheese	625 g
½ cup	butter or margarine, melted	125 mL
½ pound	bacon, cut into 1-inch (2.5 cm) pieces	250 g
1-10 oz. package	frozen green peas, thawed	1-300 g package
⅓ cup	Parmesan cheese	75 mL
1 teaspoon	salt	5 mL
¼ teaspoon	pepper	1 mL
1	pasta recipe of macaroni or flat noodles, cooked and drained	1

Place ricotta cheese in a serving bowl and crumble with a fork. Add butter and noodles; toss two or three times.

Cook bacon in a 12-inch (30 cm) skillet over medium heat until crisp. Add peas and saute 2 minutes. Drain fat.

Add bacon and peas to noodles and toss. Add Parmesan cheese, salt, and pepper. Toss again and serve immediately.

Yield: 8 to 10 servings.

FRUIT/VEGETABLE STRAINER MODEL: FVSFGA

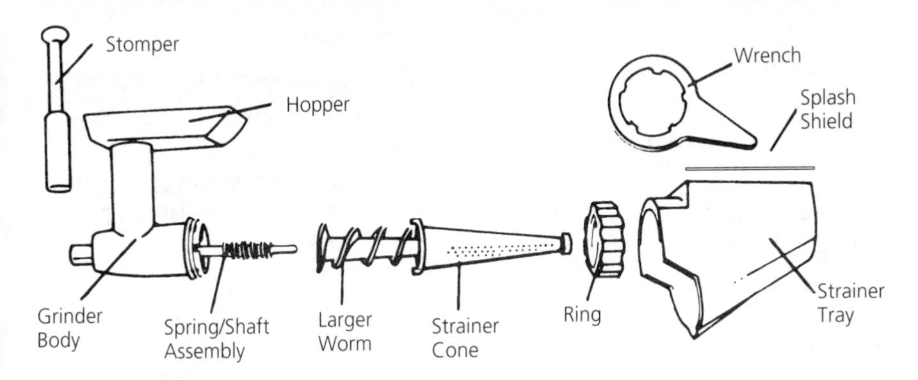

TO ASSEMBLE:
Slide smaller end of spring and shaft assembly into opening in larger worm until secured firmly in place. Insert the larger worm into the grinder body. Attach strainer cone over the exposed end of the worm matching the tabs of the cone with the notches in the grinder body. Place ring onto grinder body, turning by hand until secure but not over tightened. DO NOT USE WRENCH TO TIGHTEN RING. Slide the strainer tray over the cone and latch on top of ring. Place splash shield on strainer tray.

TO ATTACH:
Loosen attachment knob (1) by turning it counterclockwise. Remove attachment hub cover. Insert attachment shaft housing (2) into attachment hub (3) making certain that attachment power shaft fits into square hub socket. Rotate attachment back and forth if necessary. When attachment is in proper position the pin on the attachment will fit into the notch on the hub rim. Tighten attachment knob until attachment is completely secured to mixer. Please read General Information, Page 59.

TO USE:
Please read Instruction Booklet packed with attachment before using.

After attaching unit to mixer, place mixer bowl under strainer tray to catch strained food and a smaller bowl under open end to catch food waste. Cut food into pieces that will fit in the hopper. Turn mixer to Speed 4 and feed food into hopper using stomper.

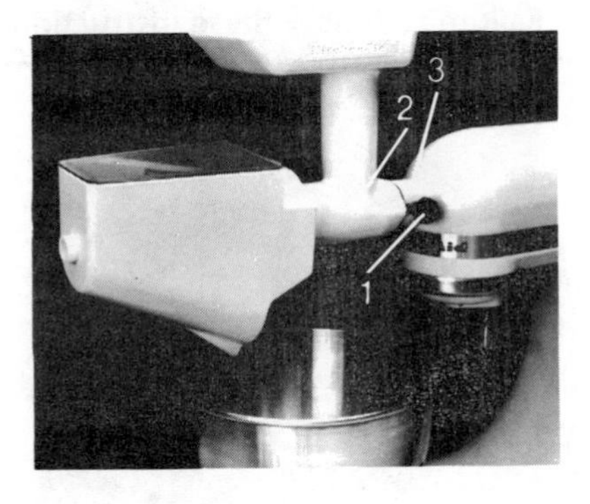

TO STRAIN FRUITS AND VEGETABLES:

- Cut into pieces that will fit into hopper.
- Remove tough, thick skin or rind, i.e., oranges.
- Remove all large pits or seeds, i.e., peaches.
- Remove hulls or stems, i.e., strawberries or grapes.
- Cook all tough or firm fruits and vegetables before straining.
- Liquid may appear in hopper when processing large amounts of high moisture foods such as tomatoes or grapes. To drain liquid, continue to operate mixer. DO NOT PROCESS ADDITIONAL FOOD UNTIL LIQUID HAS DRAINED FROM HOPPER, DAMAGE TO MIXER MAY RESULT.

TO LOOSEN RING:

If ring is too tight to remove by hand, slip wrench over grooves. Turn wrench handle counterclockwise.

⚠CAUTION

NEVER USE WRENCH TO ATTACH RING TO STRAINER BODY, DAMAGE TO ATTACHMENT MAY RESULT.

NOTE: Fruit/Vegetable Strainer Parts (Model FVSP) are available to convert a Model FGA Food Grinder to a Fruit/ Vegetable Strainer.

⚠WARNING

PERSONAL INJURY HAZARD

- **When using electrical appliances, basic safety precautions should always be followed. Please refer to the Important Safety Instructions outlined on Page 3. In addition, these instructions should be followed:**
- **NEVER USE FINGERS to press food into hopper. Always use stomper. Failure to follow these instructions could result in personal injury.**

Savory Cheese Spread

1 cup	cottage cheese	250 mL
½ cup	butter or margarine, softened	125 mL
1 tablespoon	paprika	15 mL
1 teaspoon	dried onion	5 mL
1 teaspoon	caraway seed (optional)	5 mL
½ teaspoon	dry mustard	2 mL
¼ teaspoon	garlic salt	1 mL
½ cup	sour cream	125 mL
1 tablespoon	chopped chives or parsley	15 mL

Assemble and attach Fruit/Vegetable Strainer. Turn to Speed 4 and strain cottage cheese. Set aside.

Place butter in bowl. Attach bowl and flat beater. Turn to Speed 4 and beat 1 minute. Stop and scrape bowl. Add strained cottage cheese, paprika, onion, caraway seed, mustard, garlic salt, and sour cream. Turn to Speed 4 and beat until smooth, about 30 seconds. Stop and scrape bowl. Turn to Speed 4 and beat for 30 seconds more.

Shape cheese mixture into a mound. Decorate with chives or parsley. Refrigerate 2 hours or until firm. Serve with assorted crackers.

Yield: 2 cups (500 mL).

Strawberry Creme

1 package	unflavored gelatin	1-7 g package
¼ cup	cold water	50 mL
1½ cups	strawberries	375 mL
2 cups	whipping cream	500 mL
½ cup	granulated sugar	125 mL
	Dash salt	
3 tablespoons	lemon juice	45 mL

Sprinkle gelatin over cold water in saucepan to soften.

Wash strawberries and remove stems. Reserve a few berries for garnish. Assemble and attach Fruit/Vegetable Strainer. Turn to Speed 4 and strain strawberries into bowl. Attach bowl and flat beater. Add 1 cup (250 mL) cream, sugar, and salt to strawberry puree. Turn to Stir Speed and beat until well blended.

Dissolve the gelatin mixture over low heat. Add the lemon juice.

Turn to Stir Speed and gradually add the gelatin mixture to the strawberry mixture and continue beating until well blended. Remove mixture from bowl and set aside.

Attach clean bowl and wire whip. Add remaining cup of cream and gradually turn to Speed 6 until thick but not stiff. Turn to Stir Speed and add berry/gelatin mixture. Stop and scrape bowl. Return to Stir Speed and mix for 30 seconds more.

Pour the strawberry mixture into an ice cube tray or leave it in the bowl; freeze until mushy. Stir occasionally during freezing.

Spoon into dessert dishes. Garnish with reserved strawberries.

Yield: 6 to 8 servings.

Grain Mill Model: GMA

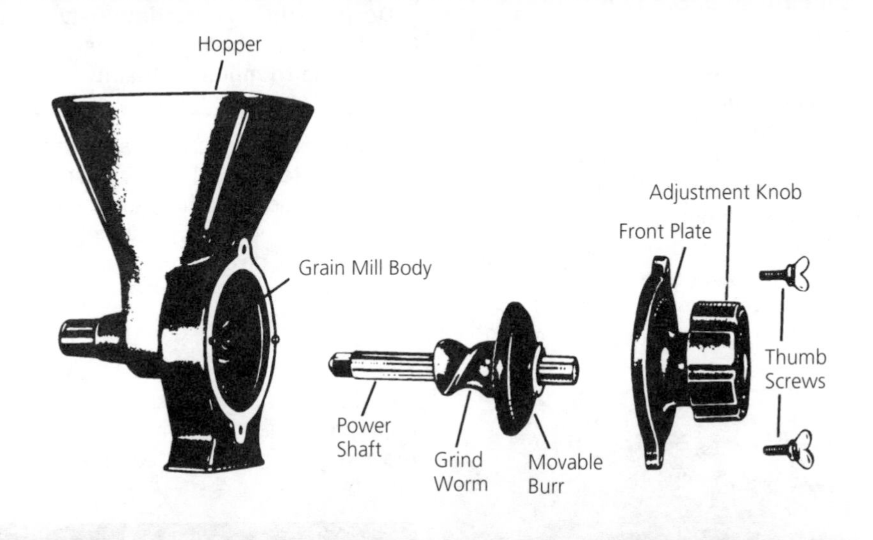

⚠WARNING

PERSONAL INJURY HAZARD

- **When using electrical appliances, basic safety precautions should always be followed. Please refer to the Important Safety Instructions as outlined on Page 3. In addition, these instructions should be followed:**
- **NEVER PLACE HANDS OR ANY UTENSIL in hopper of Grain Mill while in operation.**
- **Do not place your face near the hopper toward end of milling operation as small kernels may pop out of hopper.**

TO ASSEMBLE:
Insert the attachment power shaft with the grind worm and movable burr into the grain mill body. Mount the front plate with adjustment knob onto the front of the shaft. **NOTE:** Turn adjustment knob two or three full turns in a counterclockwise direction to assure a flush fit. Turn and tighten thumb screws into place.

TO ATTACH:
Loosen attachment knob by turning it counterclockwise. Remove attachment hub cover. Insert attachment shaft housing into attachment hub making certain that attachment power shaft fits into square hub socket. Rotate attachment back and forth if necessary. When attachment is in proper position the pin on the attachment will fit into the notch on the hub rim. Tighten attachment knob until attachment is completely secured to mixer. Please read General Information, Page 59.

TO USE:

Please read the Recipe and Instruction Booklet packed with attachment before using.

Adjust fineness of grind **without** grain in mill. To adjust for grinding, turn adjustment knob (1) counterclockwise two turns and start mixer on Speed 10. Turn adjustment knob (1) clockwise until grinding burrs just make contact–burr contact will be indicated by a change in motor speed and sound. **Immediately** turn adjustment knob (1) back (counterclockwise) three clicks.

⚠CAUTION

Do not run mill continuously with burrs rubbing together. Damage to mill may result.

Stop mixer and fill hopper with grain. Turn mixer to Speed 10 after grain is added. If grind is too fine, turn adjustment knob counterclockwise one click at a time until desired coarseness is obtained.

Continue to replenish grain in hopper until desired amount of grain is ground.

It is not necessary to press grain into hopper with hands or any utensil. The moving grind worm will feed the grain into the burrs.

⚠CAUTION

DO NOT GRIND MORE THAN 10 CUPS (2.5 L) OF FLOUR AT ONE TIME. Allow mixer to cool at least 45 minutes before using again. Damage to mixer may result.

Wheat and Cornmeal Muffins

½ cup	wheat berries or	125 mL
¾ cup	whole wheat flour	175 mL
¾ cup	corn or	175 mL
1 cup	cornmeal	250 mL
1 tablespoon	brown sugar	15 mL
2 teaspoons	baking powder	10 mL
¾ teaspoon	salt	3 mL
1 cup	milk	250 mL
2	eggs, beaten	2
¼ cup	vegetable oil	50 mL

Assemble and attach Grain Mill. Set Mill on Click 3. Turn to Speed 10 and grind wheat berries and corn.

Place whole wheat flour, cornmeal, brown sugar, baking powder, and salt in bowl. Attach bowl and flat beater. Turn to Speed 2 and mix 30 seconds. Add milk, eggs, and oil. Turn to Stir Speed and mix 15 seconds. Stop and scrape bowl. Turn to Stir Speed and mix 15 seconds longer.

Pour batter into greased muffin tins. Bake at 400°F (200°C) for 15 minutes. Serve warm.

Variations:

Blueberry muffins: Add ½ to 1 cup (125 mL to 250 mL) blueberries and increase brown sugar to ¼ cup (50 mL).

Nut muffins: Add ½ cup (125 mL) chopped nuts.

Raisin muffins: Add ½ cup (125 mL) raisins to muffin batter or place raisins on top of muffins before baking.

Yield: 12 muffins.

Mixer Covers

Model: K45CR

(For K45SS and KSM90 mixers)

Model: K5CR

(For K5SS and KSM5 mixers)

To protect mixers when not in use. Made of cotton and polyester, they are machine washable.

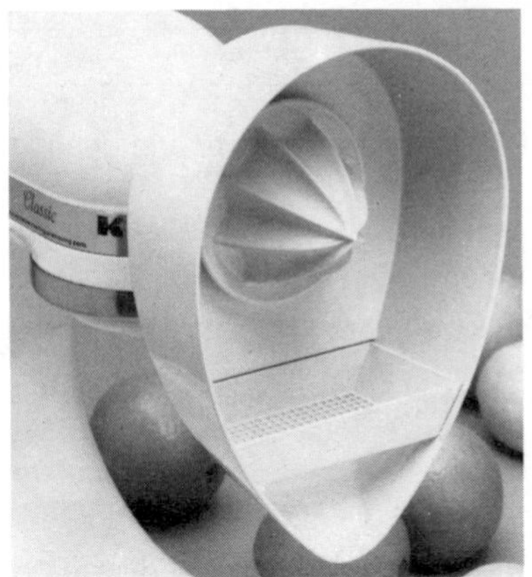

Citrus Juicer

Model: JE

Quickly and easily juices oranges, grapefruits, lemons, and other citrus fruits.

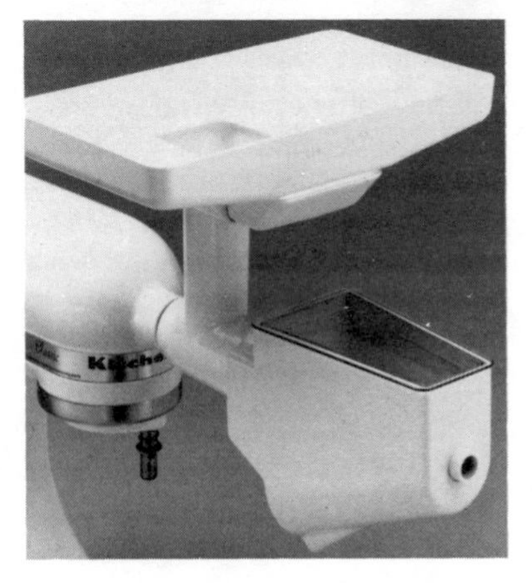

Food Tray

Model: FT

Conveniently holds large quantities of fruits, vegetables, meats for quicker and easier processing. Use with KitchenAid Food Grinder attachments (FGA models only).

Can Opener
Model: CO

Quickly and smoothly opens cans. After opening, a magnet picks up the lid and the can is held securely, preventing spillage.

Water Jacket
Model: K5AWJ

Hangs on bowl yoke of K5A, K5SS, or KSM5 and surrounds the bowl with cold or hot water. Helps maintain temperature of ingredients during preparation.

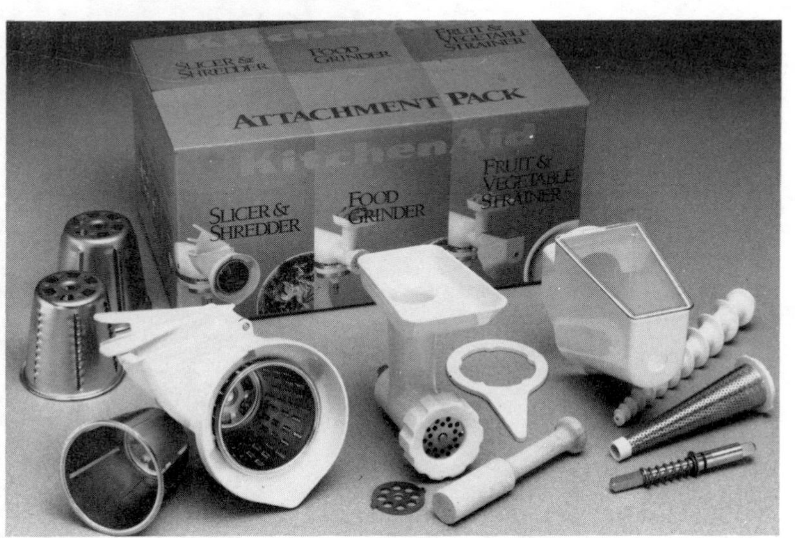

Multi-Function Attachment Pak
Model: FPPA

Now one model fits all KitchenAid Mixers! KitchenAid has packaged its three most popular attachments in one carton. It includes a Rotor Slicer/Shredder (RVSA), Food Grinder (FGA), and Fruit/Vegetable Strainer Parts (FVSP).

Authorized Service Centres

How To Obtain Service

If your KitchenAid mixer requires service, please refer to your nearest Authorized Service Centre as listed below.* If shop repairs are required, take the unit to this servicing outlet. If it is not convenient to take the unit, ship it prepaid and insured. The unit should be carefully packed in a heavy card-board carton to prevent shipping damage.** Include instructions whether you want an estimate of repair costs, wish to pick up the unit or have it shipped to your return address by parcel post, (C.O.D. when "out-of-warranty").

Parts and attachments for your mixer can also be obtained from your nearest Authorized Service Centre listed.

All service should be handled locally by Procare Appliance Service, or an Authorized KitchenAid Service Centre. If you are unable to obtain satisfactory service in this manner, contact: KitchenAid Canada, 1901 Minnesota Court, Mississauga, Ontario L5N 3A7.

Telephone: 1-800-461-5681.

Addressing:

If you send your mixer to one of these Service Centres for service, please ship to the street address using the zip code list beside the city name.

*Service Centres are subject to change. Contact prior to shipping product to these locations.

**We recommend using the original carton.

BRITISH COLUMBIA
Vancouver
Procare Appliance Service
3627 E. 4th Avenue
Vancouver, B.C.
V5M 1M2
(604) 291-6426
1-800-665-6788

ALBERTA
Edmonton
Procare Appliance Service
11653 163rd Street
Edmonton, Alberta
T5M 3W6
(403) 453-3900
1-800-661-6291

Calgary
Procare Appliance Service
(Service calls go to Edmonton)
(403) 253-9267

ONTARIO
Toronto (Mississauga)
Procare Appliance Service
5945 Ambler Drive
Mississauga, Ontario
L4W 2K2
(905) 821-3900
1-800-807-6777

Toronto (Markham)
Procare Appliance Service
Unit #1 110 Torbay Road
Markham, Ontario
L3R 1G6
(905) 475-9511
1-800-807-6777

Ottawa
Procare Appliance Service
28 Capital Drive
Ottawa, Ontario
K2G 0E9
(613) 225-0510
1-800-267-3456

MANITOBA
SASKATCHEWAN
Winnipeg
Procare Appliance Service
1683 Church Avenue
Winnipeg, Manitoba
R2X 2Y7
(204) 694-5308
1-800-665-1683

QUEBEC
Montreal (Laval)
Procare Appliance Service
2750 Francis Hughes
Chomedey Laval
Quebec H7L 3X7
(514) 382-8110
1-800-361-3032

Brossard
Procare Appliance Service
9605 F. Ignace, Brossard
Quebec J4Y 2P3
(514) 397-1840
1-800-361-0950

Quebec City
Procare Appliance Service
5275 Boul. Wilfrid Hamel, Ste. 140
LES SAULES,
Quebec, G2E 5M7
(418) 871-5251
1-800-463-1523

Sherbrooke (Rock Forest)
Procare Appliance Service
3475 Industrial Boulevard
Sherbrooke, Quebec J1L 1X7
(819) 564-6565
1-800-567-6966

NOVA SCOTIA
Dartmouth
Procare Appliance Service
900 Windmill Road, Unit 109
Darthmouth, N.S.
B3B 1P7
(902) 468-6634
1-800-565-1598

COLOMBIE-BRITANNIQUE

Vancouver
Procare Service D'appareils Ménagers
3627 E. 4th Avenue
Vancouver, B.C.
V5M 1M2
(604) 291-6426
1-800-665-6788

ALBERTA

Edmonton
Procare Service D'appareils Ménagers
11653 163rd Street
Edmonton, Alberta
T5M 3W6
(403) 453-3900
1-800-661-6291

Calgary
Procare Service D'appareils Ménagers
(403) 253-9267

ONTARIO

Toronto (Mississauga)
Procare Service D'appareils Ménagers
5945 Ambler Drive
Mississauga, Ontario
L4W 2K2
(905) 821-3900
1-800-807-6777

Toronto (Markham)
Procare Service D'appareils Ménagers
Unit #1 110 Torbay Road
Markham, Ontario
L3R 1G6
(905) 475-9511
1-800-807-6777

Ottawa
Procare Service D'appareils Ménagers
28 Capital Drive
Ottawa, Ontario
K2G 0E9
(613) 225-0510
1-800-267-3456

MANITOBA
SASKATCHEWAN

Winnipeg
Procare Service D'appareils Ménagers
1683 Church Avenue
Winnipeg, Manitoba
R2X 2Y7
(204) 694-5308
1-800-665-1683

QUEBEC

Montreal (Laval)
Procare Service D'appareils Ménagers
2750 Francis Hughes
Chomedey Laval
Quebec H7L 3X7
(514) 382-8110
1-800-361-3032

Brossard
Procare Service D'appareils Ménagers
9605 F. Ignace, Brossard
Quebec J4Y 2P3
(514) 397-1840
1-800-361-0950

Quebec City
Procare Service D'appareils Ménagers
5275 Boul. Wilfrid Hamel, Ste. 140
LES SAULES,
Quebec, G2E 5M7
(418) 871-5251
1-800-463-1523

Sherbrooke (Rock Forest)
Procare Service D'appareils Ménagers
3475 Industrial Boulevard
Sherbrooke, Quebec J1L 1X7
(819) 564-6565
1-800-567-6966

NOVA SCOTIA

Dartmouth
Procare Service D'appareils Ménagers
900 Windmill Road, Unit 109
Darthmouth, N.S.
B3B 1P7
(902) 468-6634
1-800-565-1598

Centres de service autorisés

Obtention des services de réparation

Advenant que vous ayez besoin de services de réparation pour votre robot KitchenAid, veuillez contacter le centre de service autorisé le plus proche (mentionné dans la liste ci-après).* Si une réparation en atelier est nécessaire, amener l'appareil à cet établissement de service. S'il n'est pas pratique d'amener l'appareil à l'établissement, expédier l'appareil (fret prépayé et assuré). Il convient que l'appareil soit soigneusement emballé dans une boîte en carton robuste pour qu'il ne subisse pas de dommages en cours de transit.** Veuillez indiquer si vous demandez seulement une estimation des coûts de réparation et si vous reprendrez possession de l'appareil à l'établissement, ou si on doit vous le retourner à votre adresse par colis postal (paiement à la livraison pour les appareils dont la garantie est expirée).

Vous pouvez également obtenir des pièces et accessoires pour votre robot dans les centres de service autorisés mentionnés dans la liste.

Toutes les interventions de service devraient être confiées localement au centre de service autorisé KitchenAid. Si vous ne pouvez pas obtenir un service satisfaisant de cette manière, veuillez contacter :
KitchenAid Canada, 1901 Minnesota Court, Mississauga, Ontario L5N 3A7.

Téléphone : 1-800-461-5681.

Adressage :

Si vous expédiez votre robot à l'un de ces centres de service pour réparations, veuillez indiquer l'adresse de l'établissement mentionné dans la liste, ainsi que le code postal mentionné près du nom de la ville.

*La liste et les adresses des centres de service sont sujettes à modification. Veuillez téléphoner avant d'expédier un produit à ces adresses.

**Nous recommandons l'emploi de la boîte d'emballage d'origine.

Ouvre-boîtes
Modèle : CO

Ouverture rapide et aisée des boîtes de conserve. Après l'ouverture de la boîte, un aimant retient le couvercle tandis que la boîte est solidement maintenue en place, ce qui évite tout renversement.

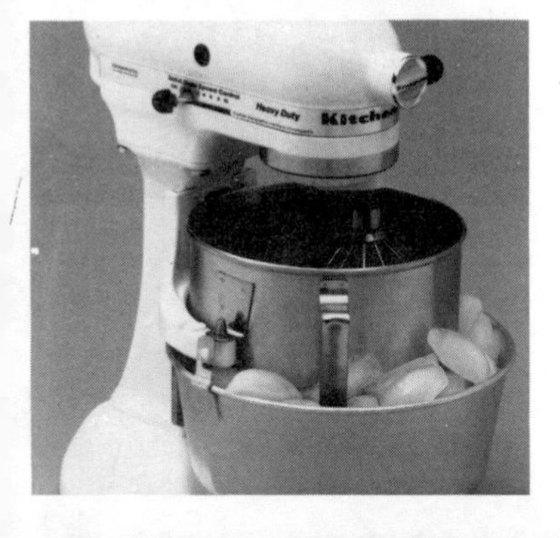

Bain-marie
Modèle : K5AWJ

Récipient à fixer sur le porte-bol des appareils K5A, K5SS ou KSM5, permettant de faire baigner le bol dans de l'eau froide ou chaude. Pour le maintien de la température des ingrédients au cours de la préparation.

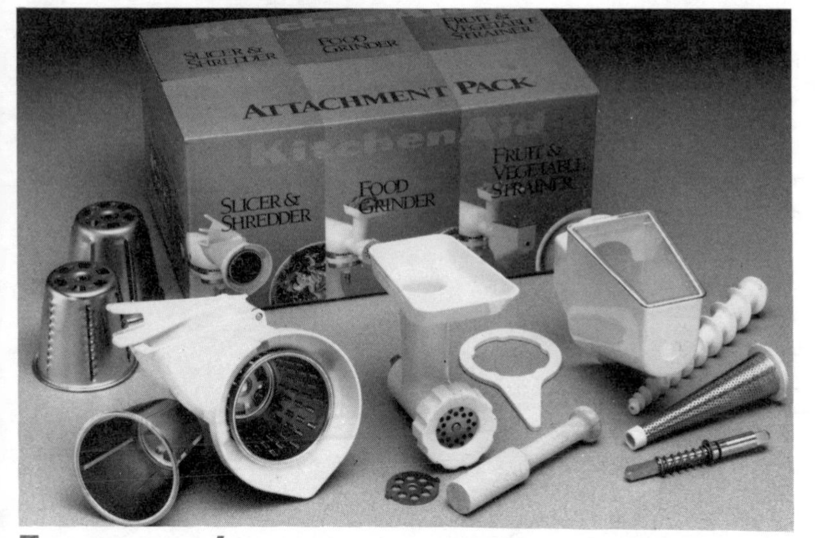

Ensemble d'accessoires multifonctionnel
Modèle : FPPA

Maintenant un modèle unique pour tous les robots KitchenAid! KitchenAid a ainsi groupé en un seul ensemble ses trois accessoires les plus populaires. L'ensemble comprend : bloc-râpeur (RVSA), hachoir (FGA), et les composants du presse-fruits/ presse-légumes (FVSP).

ESPACEMENT ENTRE LE BOL ET LE BATTEUR

Le robot a été réglé à l'usine de telle manière que l'extrémité du batteur plat soit séparée du fond du bol par un très petit espace. Si pour une raison quelconque le batteur plat frappe le fond du bol ou est trop éloigné du bol, utiliser les méthodes ci-dessous pour régler la position du batteur.

Modèle K45SS/KSM90:

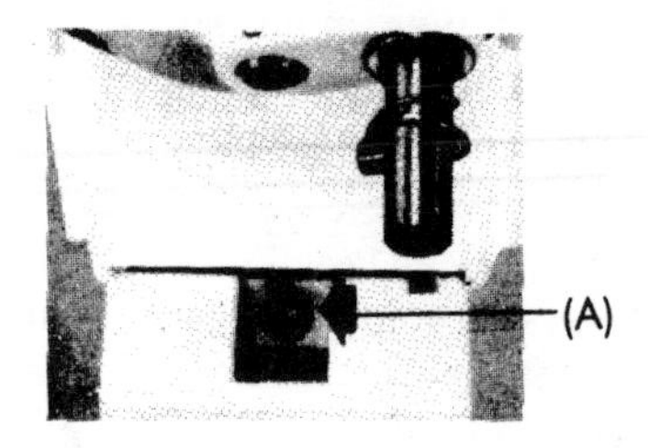

- Soulever le bloc-moteur.
- Faire légèrement tourner la vis (A) vers la gauche pour soulever le batteur plat, ou vers la droite pour faire descendre le batteur plat.
- Exécuter le réglage avec le batteur plat de telle manière qu'il soit presque en contact avec la surface du bol.

Modèle K5SS/KSM5 :

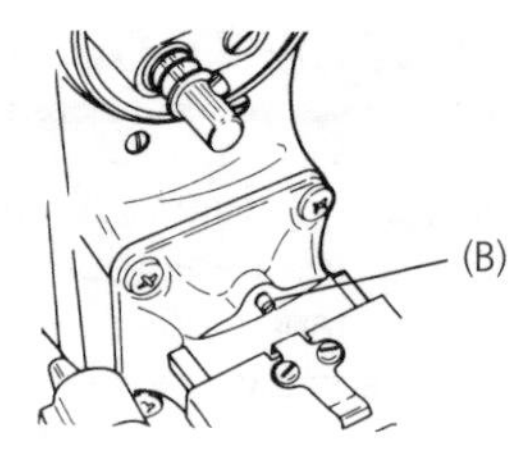

- Mettre la manette de levage du bol à la position basse.
- Faire légèrement tourner la vis (B) vers la gauche pour soulever le batteur plat, ou vers la droite pour abaisser le batteur plat.
- Exécuter le réglage avec le batteur plat de telle manière qu'il soit presque en contact avec la surface du bol.

REMARQUE : Lorsque le batteur plat est convenablement réglé, il ne doit pas heurter le fond du bol ou la paroi du bol. Si le batteur plat ou le fouet est trop bas et heurte le fond du bol, l'enduit du batteur peut s'user et disparaître, ou les fils du fouet peuvent s'user.

Dans certains cas, il peut être nécessaire de racler la paroi latérale du bol, quel que soit le réglage du batteur. Avant de racler le bol, arrêter le robot pour éviter de l'endommager.

Entretien et nettoyage du robot

⚠AVERTISSEMENT

RISQUE DE CHOC ÉLECTRIQUE

TOUJOURS VEILLER À DÉBRANCHER LE ROBOT AVANT DE LE NETTOYER, POUR ÉVITER TOUT RISQUE DE CHOC ÉLECTRIQUE. Essuyer le robot avec un linge doux et humide. NE PAS IMMERGER LE ROBOT DANS L'EAU. Essuyer fréquemment l'arbre d'entraînement du batteur pour éliminer tout résidu.

Il est possible de laver le bol et le batteur plat, le fouet et le crochet à pâte dans un lave-vaisselle automatique. On peut également les nettoyer à fond dans de l'eau chaude savonneuse et bien les rincer avant le séchage.

Lubrification : Les paliers du moteur sont autolubrifiés et ne devraient nécessiter aucun entretien dans des conditions de service normales.

Mouvement de malaxage planétaire

Au cours de l'opération de malaxage, le batteur plat tourne autour du bol stationnaire tandis que simultanément il tourne sur son axe dans la direction opposée. Le schéma ci-contre illustre la trajectoire complète du batteur dans le bol.

Le robot KitchenAid produit un malaxage plus rapide et plus approfondi que la plupart des autres robots électriques. Par conséquent, il convient de réduire la durée de malaxage indiquée dans la plupart des recettes, pour éviter un brassage excessif.

Utilisation du robot

Le bol et les batteurs sont conçus de telle manière que l'appareil produise un malaxage approfondi *sans* qu'un raclage du bol soit fréquemment nécessaire. Il suffit normalement de racler le bol une ou deux fois au cours du malaxage.

⚠AVERTISSEMENT

RISQUE DE BLESSURES

Pour éviter les risques de blessures et les dommages que le batteur pourrait subir, ne pas tenter de racler le bol lorsque le robot fonctionne; arrêter le robot. Advenant que l'ustensile de raclage ou un autre objet tombe dans le bol, ARRÊTER le moteur de l'appareil avant de retirer cet objet.

Le robot peut s'échauffer en cours de service. Lorsqu'une lourde charge est imposée au robot ou lorsqu'il fonctionne pendant une période prolongée, l'utilisateur peut ne pas pouvoir toucher confortablement le haut de l'appareil. Ceci est normal.

Guide de sélection de la vitesse

Numéro de la vitesse		
Vitesse Stir/Agiter	**REMUAGE DU CONTENU**	Vitesse à utiliser au début de toute opération de malaxage, et pour remuer, combiner et écraser les ingrédients. Utiliser cette vitesse pour l'addition de farine et d'ingrédients secs aux pâtes, pour l'addition de liquide à des ingrédients secs, et pour la combinaison des ingrédients d'un mélange épais.
2	**MALAXAGE LENT**	Pour battage lent ou remuage plus rapide, et pour écraser des ingrédients. Utiliser cette vitesse pour battre des pâtes épaisses et mélanges à bonbons, pour commencer à écraser les pommes de terre ou d'autres légumes, pour malaxer le shortening avec de la farine, pour battre les pâtes fluides ou susceptibles de produire des éclaboussements, et pour le mélange et le malaxage des pâtes contenant de la levure. Utiliser également cette vitesse avec l'accessoire ouvre-boîtes.

Guide de sélection de la vitesse

Numéro de la vitesse		
4	**MALAXAGE/ BATTAGE**	Vitesse à utiliser pour le malaxage des pâtes semi-visqueuses comme les pâtes à biscuits. À utiliser pour l'addition de sucre et de shortening à une crème, et pour l'addition de sucre à des blancs d'oeufs pour les meringues. Vitesse moyenne pour les mélanges à gâteaux. Utilisation de cette vitesse également avec les accessoires suivants : hachoir, bloc-râpeur et presse-fruits/presse-légumes.
6	**BATTAGE/MISE EN CRÈME**	Pour les opérations de battage ou mise en crème et fouettage à vitesse moyenne/rapide. Utiliser cette vitesse pour terminer le malaxage des pâtes à gâteaux ou beignets et autres pâtes. Vitesse élevée pour les mélanges à gâteaux. Utiliser également cette vitesse avec l'accessoire presse-agrumes.
8	**BATTAGE RAPIDE/ FOUETTAGE**	Pour fouetter la crème, blancs d'oeufs et glaçages bouillis.
10	**FOUETTAGE RAPIDE**	Pour fouetter de petites quantités de crème et blancs d'oeufs. Utiliser également cette vitesse avec l'accessoire pour pâtes alimentaires et le moulin à céréales. **REMARQUE :** L'appareil ne peut pas maintenir une vitesse rapide avec une charge lourde, comme lors de l'utilisation de l'accessoire à pâtes alimentaires ou du moulin à céréales.

REMARQUE : Si un réglage plus fin est nécessaire, il est possible de mettre la manette de sélection de la vitesse entre deux des positions indiquées ci-dessus. Il sera plus facile de percevoir l'effet de ce réglage après que le robot a accumulé plusieurs heures de service.

Conseils pour le malaxage

- **Mesurages**

Les ingrédients des recettes sont donnés en mesures métriques et en mesures impériales.

Pour les meilleurs résultats, chaque recette devrait être préparée en suivant soit les mesures métriques soit les mesures impériales, et non pas une combinaison des deux.

- **Adaptation d'une recette pour le robot**

Les instructions de malaxage présentées dans ce manuel permettent la conversion de vos recettes favorites pour l'utilisation avec le robot KitchenAid. Des mets ont été sélectionnés comme exemples de recettes bien connues. Lisez attentivement le livre pour y trouver des recettes similaires à vos recettes habituelles. Adaptez ensuite vos recettes en fonction de la méthode décrite dans la recette KitchenAid. Vous devrez parfois combiner les méthodes opératoires de diverses recettes KitchenAid pour élaborer un processus de malaxage qui convienne pour la recette choisie.

Pour élaborer une méthode de malaxage, vous devrez tirer parti de votre expérience et de vos propres observations. Observez la pâte et malaxez seulement jusqu'à l'obtention de l'apparence désirée décrite dans la recette, comme "lisse et crémeux". Utilisez le guide de sélection de la vitesse, page 13, pour déterminer la vitesse de malaxage convenable.

- **Mélanges à gâteaux**

Pour la préparation d'un gâteau à partir d'un mélange d'ingrédients préparé, utiliser la vitesse 4 pour "vitesse moyenne" et la vitesse 6 pour "haute vitesse". Pour l'obtention des meilleurs résultats, utiliser la durée de malaxage indiquée sur le mode d'emploi du produit.

- **Addition d'ingrédients**

La méthode standard à suivre pour le malaxage de la plupart des pâtes, particulièrement les pâtes à gâteaux ou à biscuits, consiste à ajouter les ingrédients comme suit :

⅓ des ingrédients secs
½ des ingrédients liquides
⅓ des ingrédients secs
½ des ingrédients liquides
⅓ des ingrédients secs

Utilisez la vitesse Stir/Agiter jusqu'à ce que les ingrédients aient été bien mélangés. Augmentez ensuite *graduellement* la vitesse, jusqu'à la vitesse désirée.

Versez toujours les ingrédients aussi près que possible de la paroi du bol, et non pas directement sur le batteur en mouvement. Il est possible d'utiliser le couvercle verseur pour simplifier l'addition d'ingrédients.

REMARQUE : Si les ingrédients situés tout au fond du bol ne sont pas parfaitement malaxés, c'est que le batteur n'est pas suffisamment descendu dans le bol. Voir "Espacement entre le bol et le batteur", page 11.

- **Addition de noisettes, raisins secs ou fruits confits**

Il convient d'introduire les ingrédients solides pendant les dernières secondes du malaxage, en utilisant la vitesse Stir/Agiter. Il est préférable que la pâte soit suffisamment épaisse pour que les fruits ou noisettes ne s'enfoncent pas jusqu'au fond du plat au cours de la cuisson. Saupoudrer de farine les fruits collants, pour obtenir une meilleure distribution dans la pâte.

- **Mélanges liquides**

Malaxer à basse vitesse les mélanges contenant de grandes quantités d'ingrédients liquides, pour éviter les éclaboussements. Augmenter la vitesse seulement après que le mélange ait épaissi.

Blancs d'oeufs

Mettre les blancs d'oeufs, à la température ambiante, dans le bol propre et sec. Fixer le bol et le fouet. Pour éviter les éclaboussures, passer graduellement à la vitesse indiquée et fouetter au degré désiré. Voir tableau ci-dessous.

QUANTITÉ	VITESSE
1 blanc d'oeuf	GRADUELLEMENT à 10
2-4 blancs d'oeufs	GRADUELLEMENT à 8
6 blancs d'oeufs ou plus	GRADUELLEMENT à 6

DEGRÉS DE FOUETTAGE

MOUSSEUX :
Grosses bulles d'air inégales.

COMMENCE À PRENDRE FORME :
Les bulles d'air sont fines et serrées, le mélange est blanc.

PICS SOUPLES :
Les pics s'affaissent quand on retire le fouet.

PRESQUE FERME :
Des pics rigides se forment quand on retire le fouet, mais le mélange reste relativement mou.

FERME MAIS NON SEC :
Des pics fermes et rigides se forment quand on retire le fouet. Le mélange est uniformément blanc et brillant.

FERME ET SEC :
Des pics rigides et fermes se forment quand on retire le fouet. Le mélange est mat et granuleux.

Crème fouettée

Verser la crème dans le bol glacé. Fixer le bol et le fouet. Pour éviter les éclaboussures, passer graduellement à la vitesse indiquée et fouetter au degré désiré. Voir tableau ci-dessous.

QUANTITÉ	VITESSE	QUANTITÉ
¼ tasse	GRADUELLEMENT à 10	50 mL
½ tasse	GRADUELLEMENT à 10	125 mL
1 tasse	GRADUELLEMENT à 8	250 mL
1 chopine	GRADUELLEMENT à 8	500 mL

DEGRÉS DE FOUETTAGE

COMMENCE À ÉPAISSIR :
La crème est épaisse et ressemble à une crème anglaise.

RETIENT SA FORME :
La crème forme des pics souples quand on retire le fouet. On peut l'employer avec d'autres ingrédients dans la préparation des desserts et des sauces.

FERME :
La crème forme des pics rigides et fermes quand on retire le fouet. L'utiliser pour garnir les gâteaux ou les desserts, ou remplir les choux à la crème.

REMARQUE : Surveiller attentivement la crème durant le fouettage, car elle change de consistance en quelques secondes seulement entre les différents stades de fouettage. NE PAS FOUETTER À L'EXCÈS.

HORS-D'OEUVRE, METS PRINCIPAUX ET LÉGUMES

Soupe froide au yogourt et aux framboises

2 tasses	de framboises fraîches*	500 mL
	ou	
1 paquet de 12 oz	de framboises congelées	1 paquet de 300 g
½ tasse	de crème à fouetter	125 mL
2 tasses	de yogourt nature	500 mL
3 c. à soupe	de miel	45 mL
½ tasse	de jus d'orange	125 mL

Mettre les framboises dans le bol. Fixer le bol et le batteur plat. Régler la vitesse à 6 et broyer les framboises, environ 1 minute. Ajouter les autres ingrédients et mélanger à vitesse 2 pendant 1 minute. Réfrigérer pour servir très froid.

Donne : 8 portions.

*Les framboises fraîches doivent être cuites pendant 3 minutes dans 1 tasse (250 mL) d'eau bouillante. Les laisser refroidir et bien les égoutter.

Trempette au crabe

1 paquet de 8 oz	de fromage à la crème, ramolli	1 paquet de 250 g
1 tasse	de fromage cottage à petits grains	250 mL
¼ tasse	de mayonnaise	50 mL
1 boîte de 4 oz	de chair de crabe, émiettée	1 boîte de 120 g
1 c. à soupe	de jus de citron	15 mL
3 c. à soupe	d'oignon vert haché	45 mL
½ c. à thé	de sel à l'ail	2 mL
3 gouttes	de sauce forte au piment	3 gouttes

Mettre le fromage à la crème, le fromage cottage et la mayonnaise dans le bol. Fixer le bol et le batteur plat. Battre pendant 1 minute à vitesse 6 jusqu'à ce que les ingrédients soient mélangés, environ 1 minute. Arrêter et racler le bol. Ajouter les ingrédients restants. Régler la vitesse à 6 et battre pendant 1 minute jusqu'à ce que tous les ingrédients soient combinés.

Réfrigérer jusqu'au moment de servir. Servir avec des craquelins assortis ou des légumes crus.

Donne : 3 tasses (750 mL).

Carrés aux épinards et au fromage

1 paquet de 10 oz	d'épinards hachés congelés, décongelés	1 paquet de 300 g
3 c. à soupe	de beurre ou de margarine	45 mL
1	oignon moyen, finement haché	1
1 lb	de champignons, émincés	500 g
1 tasse	de crème sure	250 mL
⅓ tasse	de mie de pain émiettée	75 mL
4	oeufs	4
1 tasse	de cheddar râpé	250 mL
1 tasse	d'emmenthal râpé	250 mL
¼ c. à thé	de basilic	1 mL
¼ c. à thé	d'origan	1 mL
¼ tasse	de parmesan râpé	50 mL

Mettre les épinards dans un bol et les presser pour en extraire toute l'eau, jusqu'à ce qu'ils semblent secs. Réserver. Faire fondre le beurre dans un poêlon de 10 po (25 cm) à feu moyen. Ajouter l'oignon et les champignons. Les faire sauter 2 ou 3 minutes. Retirer du feu et réserver.

Mettre la crème sure, la mie de pain et les oeufs dans le bol. Fixer le bol et le batteur plat. Régler la vitesse à 4 et battre pendant 30 secondes. Ajouter les épinards, l'oignon et les champignons, le cheddar, l'emmenthal, le basilic et l'origan. Passer à la vitesse 2 et mélanger 30 secondes, jusqu'à ce que tous les ingrédients soient combinés.

Étaler le mélange dans un plat à four de 11¾ x 7½ x 1¾ po (30 x 19 x 4,5 cm), graissé. Saupoudrer de parmesan. Faire cuire au four à 350°F (180°C) pendant 35 minutes.

Donne : 44 hors-d'oeuvre.

Soufflé au fromage

2 c. à soupe	de beurre ou de margarine	25 mL
3 c. à soupe	de farine tout-usage	45 mL
1 tasse	de lait	250 mL
3 oz	de cheddar râpé	90 g
½ c. à thé	de sel	2 mL
	une pincée de cayenne	
3	oeufs, séparés	3

Mettre le beurre dans une casserole et le faire fondre à feu moyen; incorporer la farine. En tournant constamment, ajouter le lait et laisser cuire jusqu'à ce que le mélange ait épaissi. Retirer du feu et ajouter le fromage, le sel et le cayenne. Réserver.

Mettre les blancs d'oeufs dans le bol. Fixer le bol et le fouet. Régler la vitesse à 8 et fouetter les blancs jusqu'à ce qu'ils soient fermes sans être secs. Les retirer du bol.

Mettre les jaunes d'oeufs dans le bol propre. Fixer le bol et le batteur plat. Régler la vitesse à 6 et battre pendant 1 minute. Passer à la vitesse Stir/Agiter et ajouter graduellement le mélange au fromage; mélanger environ 30 secondes. Ajouter les blancs d'oeufs et mélanger pendant 15 secondes de plus.

Verser le mélange dans un moule à soufflé d'une pinte (1 L), graissé. Faire cuire au four à 325°F (160°C) de 40 à 45 minutes ou jusqu'à consistance ferme.

Donne : 4 portions.

Sole farcie aux légumes

¼ tasse	de beurre ou de margarine, fondu(e)	50 mL
½ tasse	de mie de pain émiettée	125 mL
¼	de poivron rouge moyen, haché	¼
1	carotte, râpée	1
½	tige de céleri, hachée	½
2 c. à soupe	de persil haché	25 mL
¼ c. à thé	de cayenne	1 mL
⅛ c. à thé	de paprika	0,5 mL
¼ c. à thé	de sel	1 mL
1 c. à soupe	de jus de citron	15 mL
8	filets de sole	8
¼ tasse	de vin blanc sec	50 mL
4	tranches de citron	4

Mettre le beurre, la mie de pain, le poivron, la carotte, le céleri, le persil, le cayenne, le paprika, le sel et le jus de citron dans le bol. Fixer le bol et le batteur plat. Régler la vitesse à Stir/Agiter et mélanger pendant 45 secondes, jusqu'à ce que le tout soit combiné.

Placer 4 filets dans un plat à four de 11¾ x 7½ x 1¾ po (30 x 19 x 4,5 cm), graissé. Étaler ¼ tasse (50 mL) de farce sur chaque filet et poser les filets qui restent sur la farce. Verser le vin sur les filets.

Couvrir et faire cuire au four à 375°F (190°C) pendant 20 minutes. Découvrir; placer une tranche de citron sur chaque filet. Faire cuire 5 minutes de plus. Servir immédiatement avec une sauce hollandaise.

Donne : 4 portions.

Mousse de patates douces

2	patates douces moyennes, cuites et épluchées	2
½ tasse	de lait	125 mL
¾ tasse	de sucre granulé	175 mL
2	oeufs	2
⅓ tasse	de beurre ou de margarine	75 mL
½ c. à thé	de muscade	2 mL
½ c. à thé	de cannelle	2 mL

Mettre les patates dans le bol. Fixer le bol et le fouet. Régler la vitesse à 2 et battre pendant 30 secondes. Ajouter le lait, le sucre, les oeufs, le beurre, la muscade et la cannelle. Passer à la vitesse 4 et battre pendant 1 minute. Étaler le mélange dans un plat à tarte de 9 po (23 cm), graissé. Faire cuire au four à 400°F (200°C) pendant 20 minutes ou jusqu'à ce que le mélange ait pris. Saupoudrer la surface de GARNITURE PRALINÉE. Faire cuire 10 minutes de plus.

GARNITURE PRALINÉE

⅓ tasse	de beurre ou de margarine, fondu(e)	75 mL
¾ tasse	de flocons de maïs	175 mL
½ tasse	de noix hachées	125 mL
½ tasse	de cassonade	125 mL

Mettre tous les ingrédients dans le bol. Fixer le bol et le batteur plat. Régler la vitesse à Stir/Agiter et mélanger pendant 15 secondes.

Donne : 6 portions.

Courgettes farcies

4	courgettes moyennes, épluchées	4
½ tasse	de mie de pain émiettée	125 mL
¾ tasse	de parmesan râpé	175 mL
½ tasse	de cheddar râpé	125 mL
2 c. à soupe	de piments verts hachés	25 mL
1	tomate moyenne, hachée	1
2	oeufs	2
½ c. à thé	de sel	2 mL

Couper les courgettes en deux dans le sens de la longueur et les mettre dans une casserole moyenne remplie d'eau bouillante. Les faire cuire 10 minutes ou jusqu'à ce qu'elles soient tendres. Égoutter et laisser refroidir sur des grilles. Évider les courgettes de façon à former des coquilles fermes. Hacher la chair en petits morceaux.

Mettre la chair des courgettes et le reste des ingrédients dans le bol. Fixer le bol et le batteur plat. Régler la vitesse à 2 et mélanger pendant 30 secondes.

Placer les coquilles de courgettes sur une tôle à gâteau roulé de 10½ x 15½ x 1 po (25 x 40 x 2 cm), légèrement graissée. Remplir chaque coquille de mélange aux courgettes. Faire cuire au four à 350°F (180°C) pendant 30 minutes. Servir immédiatement.

Donne : 8 portions.

Pain aux carottes

4	oeufs, séparés	4
3 tasses	de carottes râpées	750 mL
1 tasse	de crème à fouetter	250 mL
¾ tasse	de cheddar râpé	175 mL
1 tasse	de miettes de craquelins	250 mL
2 c. à soupe	de beurre ou de margarine, fondu(e)	25 mL
1	petit oignon, finement haché	1
¼ c. à thé	de basilic	1 mL
¾ c. à thé	de sel	3 mL
¼ c. à thé	de poivre	1 mL

Mettre les blancs d'oeufs dans le bol. Fixer le bol et le fouet. Régler la vitesse à 8 et fouetter jusqu'à ce que les blancs soient fermes mais non secs. Les ôter du bol et les réserver.

Mettre les jaunes d'oeufs dans le bol. Fixer le bol et le batteur plat. Battre à vitesse 4 pendant 2 minutes, jusqu'à ce que les jaunes aient épaissi et aient une teinte citron. Ajouter le reste des ingrédients et mélanger à vitesse 2 jusqu'à ce que le tout soit combiné, environ 30 secondes.

Verser le mélange dans un moule à pain de 8½ x 4½ x 2¼ po (21 x 12 x 6,5 cm), graissé. Faire cuire au four à 350°F (180°C) de 40 à 45 minutes. Laisser refroidir dans le moule pendant 10 minutes avant de démouler et servir tiède.

Donne : 10 à 12 portions.

GÂTEAUX, GLAÇAGES ET BONBONS

GÂTEAU ROULÉ À LA CITROUILLE DE BRENDA

3	oeufs	3
1 tasse	de sucre granulé	250 mL
⅔ tasse	de citrouille	150 mL
¾ tasse	de farine tout-usage	175 mL
1 c. à thé	de poudre à lever	5 mL
2 c. à thé	de cannelle	10 mL
½ c. à thé	de muscade	2 mL
1 c. à thé	de gingembre moulu	5 mL

Mettre les oeufs dans le bol. Fixer le bol et le batteur plat. Régler la vitesse à 6 et battre pendant 1 minute. En ajoutant graduellement le sucre, continuer à battre à vitesse 6 pendant 4 minutes. Réduire la vitesse à Stir/Agiter et ajouter la citrouille. Arrêter et racler le bol.

Combiner la farine, la poudre à lever, la cannelle, la muscade et le gingembre moulu. Régler la vitesse à Stir/Agiter et ajouter graduellement le mélange à base de farine au mélange à base d'oeufs, en mélangeant pendant environ 1 minute.

Garnir de papier paraffiné, bien graissé, une tôle à gâteau roulé de 9 x 13 x ¾ po (22 x 34 x 4 cm). Verser le mélange sur la tôle et faire cuire au four à 375°F (190°C) pendant 12 ou 13 minutes. Retirer du four et démouler immédiatement sur une serviette saupoudrée de sucre en poudre. Détacher le papier paraffiné et rouler le gâteau avec la serviette; laisser refroidir complètement.

Quand le gâteau est froid, le dérouler et le tartiner de GARNITURE DE FROMAGE À LA CRÈME. Le rouler à nouveau et le saupoudrer de sucre en poudre.

Donne : 9 portions de 1 po (2,5 cm).

GARNITURE DE FROMAGE À LA CRÈME

1 paquet de 8 oz	de fromage à la crème, ramolli	1 paquet de 250 g
4 c. à thé	de beurre ou de margarine	20 mL
½ c. à thé	de vanille	2 mL
1 tasse	de sucre glace	250 mL

Mettre tous les ingrédients dans le bol. Fixer le bol et le batteur plat. Régler la vitesse à 4 et battre jusqu'à ce que le tout soit bien mélangé, environ 2 minutes.

QUATRE-QUARTS AU CHOCOLAT

3 tasses	de farine à pâtisserie	750 mL
3 tasses	de sucre granulé	750 mL
1 tasse	de cacao	250 mL
3 c. à thé	de poudre à lever	15 mL
1 c. à thé	de sel	5 mL
1 tasse	de beurre, ramolli	250 mL
1½ tasse	de lait	375 mL
1 c. à soupe	de vanille	15 mL
3	oeufs	3
¼ tasse	de crème à fouetter	50 mL

Tamiser les ingrédients secs dans le bol. Faire un puits au centre et ajouter le beurre ramolli, le lait et la vanille. Fixer le bol et le batteur plat. Régler la vitesse à Stir/Agiter et battre pendant 1 minute ou jusqu'à ce que le tout soit mélangé. Arrêter et racler le bol. Régler la vitesse à 6 et battre pendant 5 minutes. Arrêter et racler le bol.

Régler la vitesse à Stir/Agiter et ajouter les oeufs, un par un, en battant pendant 15 secondes après chaque addition. Ajouter la crème et battre pendant 15 secondes. Passer à la vitesse 4 et battre pendant 15 secondes.

Verser la pâte dans un moule à cheminée de 10 po (25 cm), graissé, et faire cuire au four à 325°F (160°C) pendant 1 heure, 40 minutes ou jusqu'à ce qu'un cure-dent introduit au centre en ressorte propre. Laisser complètement refroidir le gâteau avant de le démouler; ne pas retourner le moule. Quand le gâteau est froid, napper le dessus de GLAÇAGE AU CHOCOLAT.

Donne : 1 gâteau de 10 po (25 cm).

GLAÇAGE AU CHOCOLAT

2 carrés de 1 oz	de chocolat non sucré	2 carrés de 28 g
3 c. à soupe	de beurre ou de margarine	45 mL
1 tasse	de sucre glace	250 mL
¾ c. à thé	de vanille	3 mL
2 c. à soupe	d'eau très chaude	25 mL

Faire chauffer le chocolat et le beurre à feu doux jusqu'à ce qu'ils fondent. Retirer du feu; incorporer le sucre glace et la vanille. Incorporer l'eau, 1 c. à thé (5 mL) à la fois, jusqu'à ce que le glaçage ait la consistance désirée.

GÂTEAU AU FROMAGE À LA CRÈME SURE

CROÛTE :

1 paquet de 7 oz	de gaufrettes au chocolat, broyées	1 paquet de 200 g
3 c. à soupe	de sucre granulé	45 mL
¼ tasse	de beurre ou de margarine, fondu(e)	50 mL

Combiner les miettes de gaufrettes et le sucre; incorporer le beurre. Tasser fermement le mélange au fond d'un moule démontable de 10 po (25 cm). Réfrigérer. Faire chauffer le four à 350°F (180°C).

GARNITURE :

3 paquets de 8 oz	de fromage à la crème, ramolli	3 paquets de 250 g
1½ tasse	de sucre granulé	375 mL
3 c. à soupe	de farine tout-usage	45 mL
4	oeufs	4
½ tasse	de jus de citron	125 mL

Mettre le fromage à la crème, le sucre et la farine dans le bol. Fixer le bol et le batteur plat. Battre à vitesse 2 pendant 30 secondes; passer à la vitesse 4 et battre pendant 1 minute. Arrêter et racler le bol. Battre à vitesse 4 pendant 30 secondes. Arrêter et racler le bol. Ajouter les oeufs, un à un, et battre à vitesse 2 pendant 15 secondes après chaque addition. Arrêter et racler le bol. Ajouter le jus de citron, régler la vitesse à Stir/Agiter et battre pendant 30 secondes. Arrêter et racler le bol. Régler la vitesse à 2 et battre pendant 15 secondes de plus.

Verser la garniture dans la croûte. Faire cuire au four 50 à 60 minutes ou jusqu'à ce qu'une légère pression au centre ne laisse pas de trace. Retirer du four et laisser légèrement refroidir sur une grille.

NAPPAGE :

½ tasse	de crème sure	125 mL
2 c. à soupe	de sucre granulé	25 mL
½ c. à thé	de vanille	2 mL

Mettre la crème sure, le sucre et la vanille dans le bol. Fixer le bol et le fouet. Fouetter à vitesse 6 jusqu'à ce que le mélange soit homogène, environ 30 secondes.

Verser le nappage sur le gâteau tiède. Laisser refroidir complètement, puis réfrigérer de 6 à 8 heures, avant de servir très froid.

Donne : 1 gâteau de 10 po (25 cm).

GÂTEAU MOUSSELINE DORÉ

2¼ tasses	de farine à pâtisserie	550 mL
1½ tasse	de sucre granulé	375 mL
1 c. à soupe	de poudre à lever	15 mL
1 c. à thé	de sel	5 mL
¾ tasse	d'eau froide	175 mL
½ tasse	d'huile végétale	125 mL
5	jaunes d'oeufs, battus	5
2 c. à thé	de vanille	10 mL
2 c. à thé	de zeste de citron râpé	10 mL
1 tasse	de blancs d'oeufs (environ 7 ou 8 blancs d'oeufs)	250 mL
½ c. à thé	de crème de tartre	2 mL

Tamiser ensemble la farine, le sucre, la poudre à lever et le sel, deux fois sur du papier paraffiné. Tamiser une troisième fois dans le bol. Faire un puits au centre du mélange et ajouter l'eau, l'huile, les jaunes d'oeufs, la vanille et le zeste de citron. Fixer le bol et le fouet.

Régler la vitesse à 4 et battre pendant 1 minute. Arrêter et racler le bol. Battre pendant 15 secondes de plus à vitesse 4. Retirer le mélange du bol.

Placer les blancs d'oeufs et la crème de tartre dans le bol propre. Fixer le bol et le fouet. Régler la vitesse à 6 et fouetter jusqu'à ce que les blancs soient fermes, sans être secs. Ajouter graduellement le premier mélange aux blancs d'oeufs. L'incorporer soigneusement à la main jusqu'à ce que la préparation soit homogène, sans prolonger l'opération.

Verser le mélange dans un moule à cheminée de 10 po (25 cm), non graissé. Faire cuire au four à 325°F (160°C) pendant 55 minutes. Augmenter la température à 350°F (180°C) et laisser cuire 10 à 15 minutes de plus. Retourner le moule et laisser refroidir complètement le gâteau avant de le démouler.

Donne : 1 gâteau de 10 po (25 cm).

Gâteau marbré au chocolat

3 carrés de 1 oz	de chocolat non sucré	3 carrés de 28 g
½ tasse	de sucre glace	125 mL
½ tasse	de sirop de maïs léger	125 mL
½ tasse	d'eau	125 mL
1 c. à soupe	de vanille	15 mL
3¼ tasses	de farine à pâtisserie	800 mL
2 tasses	de sucre granulé	500 mL
2¼ c. thé	de poudre à lever	11 mL
½ c. à thé	de sel	2 mL
1 tasse	de beurre ou de margarine, ramolli(e)	250 mL
1 tasse	de lait	250 mL
4	oeufs	4
¼ c. à thé	de bicarbonate de soude	1 mL

Faire fondre le chocolat à feu doux dans une petite casserole. Ajouter le sucre glace, le sirop de maïs, l'eau et ½ c. à thé (2 mL) de vanille. Porter le mélange à ébullition, en tournant constamment. Baisser le feu. Laisser cuire 1 ou 2 minutes jusqu'à ce que le mélange soit lisse. Retirer du feu et laisser refroidir.

Tamiser la farine, le sucre, la poudre à lever et le sel dans le bol. Faire un puits au centre du mélange tamisé et ajouter le beurre, ⅔ tasse (150 mL) de lait et le reste de la vanille. Fixer le bol et le batteur plat. Régler la vitesse à Stir/Agiter et mélanger pendant 1 minute. Arrêter et racler le bol. Régler la vitesse à 4 et battre pendant 2 minutes.

Ajouter le reste du lait et les oeufs. Passer à la vitesse 2 et mélanger pendant 30 secondes. Arrêter et racler le bol. Régler la vitesse à 4 et battre pendant 1 minute.

Verser deux tiers de la pâte dans un moule à kouglof de 10 po (25 cm), graissé et fariné. Ajouter le bicarbonate de soude au chocolat refroidi, en tournant pour bien mélanger. Combiner ce mélange avec le tiers de la pâte qui reste, en incorporant délicatement avec une spatule. Verser cette pâte uniformément sur la pâte à la vanille. Ne pas mélanger.

Faire cuire au four à 350°F (180°C) de 50 à 55 minutes. Laisser refroidir le gâteau dans le moule 10 minutes avant de le démouler et le laisser refroidir sur une grille.

Donne : 1 gâteau de 10 po (25 cm).

Glaçage mousseux KitchenAid

1½ tasse	de sucre granulé	375 mL
½ c. à thé	de crème de tartre	2 mL
½ c. à thé	de sel	2 mL
½ tasse	d'eau	125 mL
4 c. à thé	de sirop de maïs léger	20 mL
2	blancs d'oeufs	2
1½ c. à thé	de vanille	7 mL

Mettre le sucre, la crème de tartre, le sel, l'eau et le sirop de maïs dans une casserole. Mélanger à feu moyen jusqu'à ce que le sucre soit complètement fondu, formant un sirop.

Mettre les blancs d'oeufs dans le bol. Fixer le bol et le fouet. Régler la vitesse à 10 et fouetter les blancs jusqu'à ce qu'ils commencent à prendre forme, environ 45 secondes. Toujours à la vitesse 10, verser lentement le sirop chaud en un mince filet dans les blancs d'oeufs, en continuant à fouetter pendant environ 1 à 1½ minute. Ajouter la vanille et continuer à fouetter pendant 5 minutes environ ou jusqu'à ce que le glaçage soit mat et forme des pics rigides. Glacer le gâteau immédiatement.

Donne : Glaçage pour deux couches de 9 po (23 cm).

Fondant au chocolat

	Beurre	
2 tasses	de sucre granulé	500 mL
⅛ c. à thé	de sel	0,5 mL
¾ tasse	de lait évaporé	175 mL
1 c. à thé	de sirop de maïs léger	5 mL
2 carrés de 1 oz	de chocolat non sucré	2 carrés de 28 g
2 c. à soupe	de beurre ou de margarine	25 mL
1 c. à thé	de vanille	5 mL
½ tasse	de noix hachées	125 mL

Beurrer les parois d'une casserole épaisse de 2 pintes (2 L). Combiner le sucre, le sel, le lait évaporé, le sirop de maïs et le chocolat dans la casserole. Faire cuire à feu moyen en tournant jusqu'à ce que le chocolat fonde et que le sucre soit dissous. Laisser cuire SANS TOURNER jusqu'à ce qu'une petite quantité de mélange plongée dans l'eau froide forme une boulette molle quand on la roule entre les doigts (236°F/115°C). Retirer immédiatement du feu. Ajouter 2 c. à soupe (25 mL) de beurre SANS TOURNER. Laisser tiédir (110°F/43°C). Ajouter la vanille et verser le mélange dans le bol.

Fixer le bol et le batteur plat. Régler la vitesse à 2 et battre pendant 8 minutes ou jusqu'à ce que le fondant devienne consistant et mat. Passer rapidement à la vitesse Stir/Agiter et ajouter les noix. Étaler le mélange dans un plat de 9 x 9 po (23 x 23 cm), beurré. Laisser refroidir le fondant à température ambiante et couper en carrés quand il est ferme.

Donne : 25 carrés de 1 po (2,5 cm).

Bonbons fondants aux noix

3 tasses	de sucre granulé	750 mL
¾ tasse	de sirop de maïs léger	175 mL
½ tasse	d'eau	125 mL
2	blancs d'oeufs	2
1 c. à thé	d'extrait d'amande	5 mL
1 tasse	de noix hachées	250 mL

Mettre le sucre, le sirop de maïs et l'eau dans une casserole épaisse. Faire cuire à feu moyen jusqu'à ce qu'une petite quantité de mélange plongée dans l'eau froide forme une boulette ferme quand on la roule entre les doigts (248°F/120°C). Retirer du feu et laisser reposer jusqu'à ce que la température baisse à 220°F (105°C), SANS TOURNER.

Mettre les blancs d'oeufs dans le bol. Fixer le bol et le fouet. Régler la vitesse à 8 et fouetter jusqu'à formation de pics souples, environ 1 minute. Ajouter graduellement le sirop en un mince filet, en continuant à fouetter pendant environ 2½ minutes. Réduire la vitesse à 4 et ajouter l'extrait d'amande. Continuer à fouetter de 20 à 25 minutes ou jusqu'à ce que le mélange commence à sécher. Passer à la vitesse Stir/Agiter et ajouter les noix, en mélangeant jusqu'à ce qu'elles soient incorporées, sans prolonger l'opération.

Déposer des cuillerées de mélange sur du papier paraffiné ou un plat graissé pour former des croquettes.

Donne : 1½ lb (750 g).

Biscuits et pains-gâteaux

Biscuits au sucre

1 tasse	de beurre ou de margarine	250 mL
1 c. à thé	de vanille	5 mL
¾ tasse	de sucre granulé	175 mL
2	oeufs, battus	2
2 tasses	de farine tout-usage	500 mL
1 c. à thé	de crème de tartre	5 mL
½ c. à thé	de bicarbonate de soude	2 mL
¼ c. à thé	de muscade	1 mL
¼ c. à thé	de sel	1 mL
	Sucre	

Mettre le beurre et la vanille dans le bol. Fixer le bol et le batteur plat. Régler la vitesse à 6 et battre jusqu'à ce que le mélange soit lisse, environ 2 minutes. Ajouter graduellement ¾ tasse (175 mL) de sucre, en 30 secondes environ, et continuer à battre pendant 1 minute. Ajouter les oeufs et battre pendant 30 secondes. Arrêter et racler le bol.

Tamiser les ingrédients secs ensemble. Régler la vitesse à Stir/Agiter et ajouter graduellement ces ingrédients tamisés jusqu'à ce qu'ils soient entièrement incorporés, environ 1 minute.

Déposer des cuillerées à thé de mélange sur des tôles à biscuits graissées, en les espaçant d'environ 3 po (7,5 cm). Faire cuire au four à 400°F (200°C) de 6 à 8 minutes. Saupoudrer les biscuits de sucre tant qu'ils sont très chauds.

Donne : 4 douzaines de biscuits.

Sablés aux noix

1 tasse	de beurre ou de margarine, ramolli(e)	250 mL
1 tasse	de cassonade tassée	250 mL
2 tasses	de farine tout-usage	500 mL
1 c. à thé	de poudre à lever	5 mL
½ c. à thé	de sel	2 mL
2	blancs d'oeufs	2
1 tasse	de noix hachées	250 mL

Mettre le beurre et la cassonade dans le bol. Fixer le bol et le batteur plat. Régler la vitesse à 2 et battre pendant 1 minute. Arrêter et racler le bol. Ajouter la farine, la poudre à lever et le sel. Régler la vitesse à 2 et mélanger jusqu'à ce qu'une pâte molle se forme, environ 1½ minute.

Tasser la pâte dans une tôle à gâteau roulé de 10½ x 15½ x 1 po (25 x 40 x 2 cm), graissée. Battre doucement les blancs d'oeufs avec une fourchette jusqu'à ce qu'ils soient légèrement mousseux. Enduire la pâte de ces blancs d'oeufs, en utilisant seulement la quantité nécessaire pour la couvrir légèrement. Saupoudrer de noix hachées.

Faire cuire au four à 375°F (190°C) de 20 à 25 minutes. Couper le biscuit en barres tant qu'il est encore chaud.

Donne : 30 barres de 1½ x 3 po (4 x 7,5 cm).

Biscuits galettes

2 tasses	de farine tout-usage	500 mL
4 c. à thé	de poudre à lever	20 mL
1 c. à thé	de sel	5 mL
⅓ tasse	de shortening	75 mL
⅔ tasse	de lait	150 mL

Tamiser la farine, la poudre à lever et le sel dans le bol. Diviser le shortening en 4 ou 5 morceaux et les placer dans le bol. Fixer le bol et le batteur plat. Régler la vitesse à Stir/Agiter et incorporer le shortening, pendant environ 1 minute. Arrêter et racler le bol.

Ajouter le lait et mélanger à la vitesse Stir/Agiter jusqu'à ce que la pâte commence à adhérer au batteur. Ne pas prolonger l'opération. Placer la pâte sur une planche légèrement farinée et la pétrir jusqu'à ce qu'elle soit lisse, environ 20 secondes. L'aplatir à la main ou l'abaisser au rouleau jusqu'à ½ po (1 cm) d'épaisseur. La découper avec un coupe-pâte de 2 po (5 cm) fariné.

Mettre les biscuits sur des tôles graissées et les enduire de beurre fondu ou de margarine. Faire cuire au four à 450°F (230°C) de 12 à 15 minutes. Servir immédiatement.

Donne : 12 biscuits.

Choux à la crème

1 tasse	d'eau	250 mL
½ tasse	de beurre ou de margarine	125 mL
¼ c. à thé	de sel	1 mL
1 tasse	de farine tout-usage, tamisée	250 mL
4	oeufs	4
	Sucre glace	
	Crème à la vanille	

Dans une casserole, faire chauffer l'eau, le beurre et le sel jusqu'à ce que le mélange bouille à gros bouillons. Baisser le feu et incorporer rapidement la farine en mélangeant vigoureusement jusqu'à ce que la préparation se détache des parois et forme une boule. Retirer du feu.

Mettre cette préparation dans le bol. Fixer le bol et le batteur plat. Régler la vitesse à 2 et ajouter les oeufs, un à la fois, en battant approximativement 30 secondes après chaque addition. Passer à la vitesse 4 et battre pendant 15 secondes.

Déposer de petits monticules de pâte sur une tôle à biscuits graissée, en les espaçant de 3 po (7,5 cm).

Faire cuire au four à 400°F (200°C) pendant 10 minutes. Baisser la température à 350°F (180°C) et laisser cuire pendant 20 minutes ou jusqu'à ce que les choux aient doublé de volume. Les retirer du four et faire une petite incision sur le côté de chacun. Laisser reposer 10 minutes dans le four éteint avec la porte entrouverte. Laisser refroidir complètement; détacher le dessus de chaque chou et le garnir de crème à la vanille. Saupoudrer de sucre glace.

Donne : 12 choux à la crème.

Crème à la vanille

⅓ tasse	de sucre granulé	75 mL
1 c. à soupe	de farine tout-usage	15 mL
1 c. à soupe	de fécule de maïs	15 mL
¼ c. à thé	de sel	1 mL
1½ tasse	de lait	375 mL
1	jaune d'oeuf, battu	1
1 c. à thé	de vanille	5 mL

Combiner le sucre, la farine, la fécule de maïs et le sel dans une petite casserole. Incorporer graduellement le lait. Faire chauffer à feu moyen en tournant jusqu'à ce que le mélange épaississe et arrive à ébullition. Laisser cuire 3 minutes de plus.

Combiner le jaune d'oeuf avec une petite quantité de ce mélange et l'ajouter à la casserole. Continuer la cuisson jusqu'à ce que le mélange bouille. Incorporer la vanille. Retirer du feu et laisser refroidir complètement.

Beignets aux épices

¼ tasse	de shortening, fondu	50 mL
⅔ tasse	de sucre granulé	150 mL
2	oeufs	2
3½ tasses	de farine tout-usage	875 mL
1 c. à soupe	de poudre à lever	15 mL
1 c. à thé	de sel	5 mL
½ c. à thé	de muscade	2 mL
½ c. à thé	de cannelle	2 mL
⅔ tasse	de lait	150 mL
	Huile à grande friture	
	Sucre glace	

Mettre le shortening, le sucre et les oeufs dans le bol. Fixer le bol et le batteur plat. Régler la vitesse à 4 et malaxer pendant 1 minute.

Dans un bol séparé, tamiser ensemble la farine, la poudre à lever, le sel, la muscade et la cannelle. Régler la vitesse à Stir/Agiter et ajouter la moitié de ce mélange et la moitié du lait, en mélangeant pendant 15 secondes après chaque addition. Répéter avec le reste du mélange et du lait. Arrêter et racler le bol. Régler la vitesse à 4 et battre jusqu'à consistance lisse, environ 30 secondes.

Sur une planche légèrement farinée, abaisser la pâte à ⅜ po (1 cm) d'épaisseur. (**REMARQUE :** Mettre la pâte au réfrigérateur pendant 10 minutes si elle est difficile à manipuler). La découper avec un coupe-pâte à beignets de 2½ po (6 cm) bien fariné.

Faire frire quelques beignets à la fois dans l'huile très chaude (350°F/180°C) en les retournant jusqu'à ce qu'ils soient moyennement dorés des deux côtés, 3 à 5 minutes environ. Égoutter les beignets sur des serviettes absorbantes et les saupoudrer de sucre glace.

Donne : 16 beignets.

Carrés fondants au chocolat

1 tasse	de beurre ou de margarine, ramolli(e)	250 mL
4 carrés de 1 oz	de chocolat non sucré	4 carrés de 28 g
2 tasses	de sucre granulé	500 mL
1 c. à thé	de vanille	5 mL
3	oeufs	3
1 tasse	de farine tout-usage	250 mL
½ c. à thé	de sel	2 mL
1 tasse	de noix hachées	250 mL

Faire fondre ½ tasse (125 mL) de beurre avec le chocolat à feu doux; laisser refroidir. Mettre le reste du beurre, le sucre et la vanille dans le bol. Fixer le bol et le batteur plat. Régler la vitesse à 2 et mélanger pendant 30 secondes, puis passer à la vitesse 6 et battre pendant 2 minutes. Réduire la vitesse à 4 et ajouter les oeufs, un à la fois, en battant pendant 15 secondes après chaque addition. Arrêter et racler le bol.

Ajouter le beurre et le chocolat refroidis. Régler la vitesse à 2 et mélanger pendant 30 secondes. Passer à la vitesse Stir/Agiter et ajouter la farine, le sel et les noix; mélanger pour bien incorporer le tout, environ 30 secondes.

Verser le mélange dans un plat de 13 x 9 x 2 po (34 x 22 x 5 cm), graissé et fariné. Faire cuire au four à 350°F (180°C) pendant 45 minutes. Laisser refroidir dans le plat et couper en carrés de 2 po (5 cm).

Donne : 2 douzaines de carrés au chocolat.

PAIN À LA BANANE ET AUX NOIX

⅓ tasse	de shortening	75 mL
½ tasse	de sucre granulé	125 mL
2	oeufs	2
1¾ tasse	de farine tout-usage, tamisée	425 mL
1 c. à thé	de poudre à lever	5 mL
½ c. à thé	de bicarbonate de soude	2 mL
½ c. à thé	de sel	2 mL
1 tasse	de bananes mûres, écrasées	250 mL
½ tasse	de noix hachées	125 mL

Mettre le shortening et le sucre dans le bol. Fixer le bol et le batteur plat. Battre à vitesse 6 pendant 1 minute. Arrêter et racler le bol. Battre pendant 1 minute de plus à vitesse 6, puis passer à la vitesse 4 et ajouter les oeufs. Battre pendant 30 secondes. Arrêter et racler le bol. Régler la vitesse à 6 et battre pendant 1½ minute.

Dans un bol séparé, tamiser ensemble la farine, la poudre à lever, le bicarbonate de soude et le sel. Régler la vitesse à Stir/Agiter et ajouter la moitié de ce mélange et la moitié des bananes écrasées. Mélanger pendant 30 secondes, puis ajouter le reste du mélange et des bananes. Mélanger pendant 30 secondes de plus. Arrêter et racler le bol. Incorporer les noix, à la vitesse Stir/Agiter, en mélangeant pendant environ 15 secondes.

Verser la préparation dans un moule à pain de 9½ x 5 x 3 po (23 x 13 x 7 cm), graissé et fariné. Faire cuire au four à 350°F (180°C) de 40 à 45 minutes. Démouler et laisser refroidir sur une grille.

Donne : 1 pain.

Tartes et pâtisseries

Pâte à tarte KitchenAid

2¼ tasses	de farine tout-usage	550 mL
¾ c. à thé	de sel	3 mL
½ tasse	de shortening, très froid	125 mL
2 c. à soupe	de beurre ou de margarine, très froid(e)	25 mL
5-6 c. à soupe	d'eau froide	60-75 mL

Tamiser la farine et le sel dans le bol. Couper le shortening et le beurre en 4 ou 5 morceaux et les placer dans le bol. Fixer le bol et le batteur plat. Régler la vitesse à Stir/Agiter et incorporer le shortening et le beurre dans la farine en malaxant, jusqu'à formation de particules de la grosseur d'un petit pois, environ 30 secondes.

Ajouter l'eau, une c. à soupe (15 mL) à la fois, jusqu'à ce que toutes les particules soient humectées. N'utiliser que la quantité d'eau nécessaire pour que la pâte forme une boule. Surveiller attentivement car un malaxage trop prolongé donnerait une croûte dure.

Mettre la pâte au réfrigérateur pendant 15 minutes. L'abaisser entre des feuilles de papier paraffiné à ⅛ po (3 mm) d'épaisseur. Plier la pâte en quatre; la faire glisser dans le plat à tarte, la déplier, et foncer le plat en pressant fermement la pâte au fond et sur les parois. Rogner l'excédent de pâte et cranter les bords. Garnir et cuire comme désiré.

Donne : 2 croûtes simples de 8 ou 9 po (20 ou 23 cm) ou une croûte double de 8 ou 9 po (20 ou 23 cm).

Pour une croûte cuite sans garniture : piquer les bords et le fond avec une fourchette. Faire cuire au four à 450°F (230°C) de 8 à 10 minutes, jusqu'à ce que la croûte soit légèrement dorée. Laisser refroidir complètement avant de garnir.

Tarte campagnarde aux poires

¾ tasse	de cassonade	175 mL
3 c. à soupe	de farine tout-usage	45 mL
⅛ c. à thé	de sel	0,5 mL
	une pincée de clous de girofle moulus	
	une pincée de muscade	
⅓ tasse	de crème à fouetter	75 mL
8-10	poires moyennes (environ 2½ lb/1,2 kg) épluchées, vidées et coupées en tranches fines	8-10
2 c. à soupe	de jus de citron	25 mL
2 c. à soupe	de beurre ou de margarine	25 mL
	Pâte à tarte KitchenAid pour croûte double de 9 po (23 cm)	

Dans un petit bol, combiner la cassonade, la farine, le sel, les clous de girofle et la muscade. Incorporer la crème. Dans un autre bol, placer les poires et les asperger de jus de citron. Ajouter le mélange de cassonade, farine et crème et bien mélanger. Réserver.

Diviser la pâte en deux. Abaisser une moitié à ⅛ po (3 mm) d'épaisseur et foncer un plat à tarte de 9 po (23 cm). Garnir la pâte avec le mélange à base de poires et parsemer de noisettes de beurre. Abaisser la seconde moitié de la pâte et la couper en bandes de ½ po (1 cm). Poser les bandes en croisillons sur les poires. Sceller et cranter les bords. Faire cuire au four à 400°F (200°C) de 35 à 40 minutes.

Donne : 1 tarte de 9 po (23 cm).

TARTE À LA CRÈME À LA VANILLE

GARNITURE :

½ tasse	de sucre granulé	125 mL
6 c. à soupe	de farine tout-usage	90 mL
¼ c. à thé	de sel	1 mL
2½ tasses	de lait	625 mL
3	jaunes d'oeufs	3
1 c. à soupe	de beurre ou de margarine	15 mL
1 c. à thé	de vanille	5 mL
	croûte de tarte KitchenAid de 9 po (23 cm), cuite	

Mélanger le sucre, la farine et le sel dans une casserole épaisse. Ajouter le lait et faire cuire à feu moyen, jusqu'à ce que le mélange épaississe. Baisser le feu, couvrir et laisser cuire 10 minutes de plus, en tournant de temps en temps.

Mettre les jaunes d'oeufs dans le bol. Fixer le bol et le fouet. Régler la vitesse à 8 et fouetter pendant 1 minute. Ajouter lentement une petite quantité du mélange de lait et de farine aux jaunes d'oeufs. Le transférer dans la casserole et laisser cuire, en tournant constamment, à feu moyen de 3 à 4 minutes. Retirer du feu et ajouter le beurre et la vanille. Laisser refroidir et verser la crème dans la croûte de tarte cuite.

MERINGUE :

¼ c. à thé	de crème de tartre	1 mL
⅛ c. à thé	de sel	0,5 mL
3	blancs d'oeufs	3
½ tasse	de sucre granulé	125 mL

Combiner la crème de tartre, le sel et les blancs d'oeufs dans le bol. Fixer le bol et le fouet. Régler graduellement la vitesse à 8 et fouetter jusqu'à formation de pics souples, environ 1 minute. Réduire la vitesse à 4 et ajouter graduellement le sucre; fouetter jusqu'à formation de pics rigides, environ 1 minute.

Entasser délicatement la meringue sur la tarte et l'étaler jusqu'aux bords. Faire cuire au four à 325°F (160°C) pendant 15 minutes ou jusqu'à ce que la meringue soit légèrement dorée.

Donne : 1 tarte de 9 po (23 cm).

VARIANTES :

Tarte à la crème au chocolat : Ajouter à la garniture 2 carrés (2 oz/56 g) de chocolat non sucré, fondu, avec le beurre et la vanille. Procéder comme indiqué ci-dessus.

Tarte à la crème à la banane : Couper 2 ou 3 bananes mûres en tranches dans la croûte avant d'y verser la garniture. Procéder comme indiqué ci-dessus.

Tarte à la crème à la noix de coco : Ajouter ½ tasse (125 mL) de noix de coco filamentée à la garniture avant de la verser dans la croûte. Avant la cuisson, parsemer ¼ tasse (50 mL) de noix de coco filamentée sur la meringue. Procéder comme indiqué ci-dessus.

Tarte au lait de poule au chocolat

CROÛTE :

1 paquet de 7 oz	de gaufrettes au chocolat, broyées	1 paquet de 200 g
2 c. à soupe	de sucre granulé	25 mL
¼ tasse	de beurre ou de margarine, ramolli(e)	50 mL

Mettre les miettes de gaufrettes au chocolat, le sucre et le beurre dans le bol. Fixer le bol et le batteur plat. Régler la vitesse à 2 et malaxer pour bien combiner le tout, 1 minute environ. Garnir le fond et les parois d'un plat à tarte de 9 po (23 cm) avec le mélange en tassant bien. Faire cuire au four à 350°F (180°C) pendant 5 minutes. Laisser refroidir.

GARNITURE :

1 sachet de 7 g	de gélatine non parfumée	1 sachet de 7 g
¼ tasse	d'eau froide	50 mL
⅓ tasse	de sucre granulé	75 mL
2 c. à soupe	de fécule de maïs	25 mL
½ c. à thé	de sel	2 mL
2 tasses	de lait de poule	500 mL
½ c. à thé	d'extrait de rhum	2 mL
1 tasse	de crème à fouetter	250 mL

Parsemer la gélatine à la surface de l'eau pour la ramollir. Combiner le sucre, la fécule de maïs et le sel dans une casserole épaisse; incorporer graduellement le lait de poule. Faire cuire à feu moyen, en tournant constamment, jusqu'à ce que le mélange épaississe. Laisser cuire 2 minutes de plus. Retirer du feu et incorporer la gélatine ramollie en tournant jusqu'à ce qu'elle soit dissoute. Incorporer l'extrait de rhum et réfrigérer.

Mettre la crème dans le bol propre, glacé. Fixer le bol et le fouet. Régler la vitesse à 6 et fouetter jusqu'à consistance ferme. Incorporer délicatement la crème fouettée dans le mélange gélatineux. Verser la garniture dans la croûte refroidie. Réfrigérer jusqu'à ce que la garniture ait prise.

NAPPAGE :

1 tasse	de crème à fouetter	250 mL
¼ tasse	de sucre glace	50 mL

Mettre la crème dans le bol propre, glacé. Fixer le bol et le fouet. Régler la vitesse à 8 et fouetter jusqu'à ce que la crème commence à épaissir. Ajouter graduellement le sucre glace, en fouettant jusqu'à formation de pics souples. Napper la tarte garnie de sucre glace. Réfrigérer.

Donne : 1 tarte de 9 po (23 cm).

Tarte au chocolat

2	oeufs, séparés	2
¾ tasse	de beurre ou de margarine, ramolli(e)	175 mL
¾ tasse	de sucre granulé	175 mL
¾ tasse	de cassonade	175 mL
2 carrés de 1 oz	de chocolat non sucré, fondus	2 carrés de 28 g
¾ tasse	de farine tout-usage	175 mL
¼ tasse	de liqueur de chocolat	50 mL
	pâte à tarte KitchenAid pour croûte simple de 9 po (23 cm)	

Mettre les blancs d'oeufs dans le bol. Fixer le bol et le fouet. Régler la vitesse à 8 et fouetter jusqu'à ce que les blancs soient fermes mais non secs. Les retirer du bol et les réserver.

Mettre le beurre, le sucre et la cassonade dans le bol. Fixer le bol et le batteur plat. Régler la vitesse à 4 et battre en crème pendant 1 minute. Ajouter le chocolat et les jaunes d'oeufs et mélanger à vitesse 2 pendant 1 minute. Arrêter et racler le bol. Ajouter la farine et la liqueur de chocolat. Régler la vitesse à 2 et mélanger pendant 30 secondes. Passer à la vitesse 4 et mélanger pendant 15 secondes. Arrêter et racler le bol. Ajouter les blancs d'oeufs et mélanger à vitesse Stir/Agiter pendant 15 secondes.

Verser la préparation dans la croûte de tarte. Faire cuire au four à 375°F (190°C) de 35 à 40 minutes.

Donne : 1 tarte de 9 po (23 cm).

PAINS À LA LEVURE

VARIANTES DU CROCHET À PÂTE

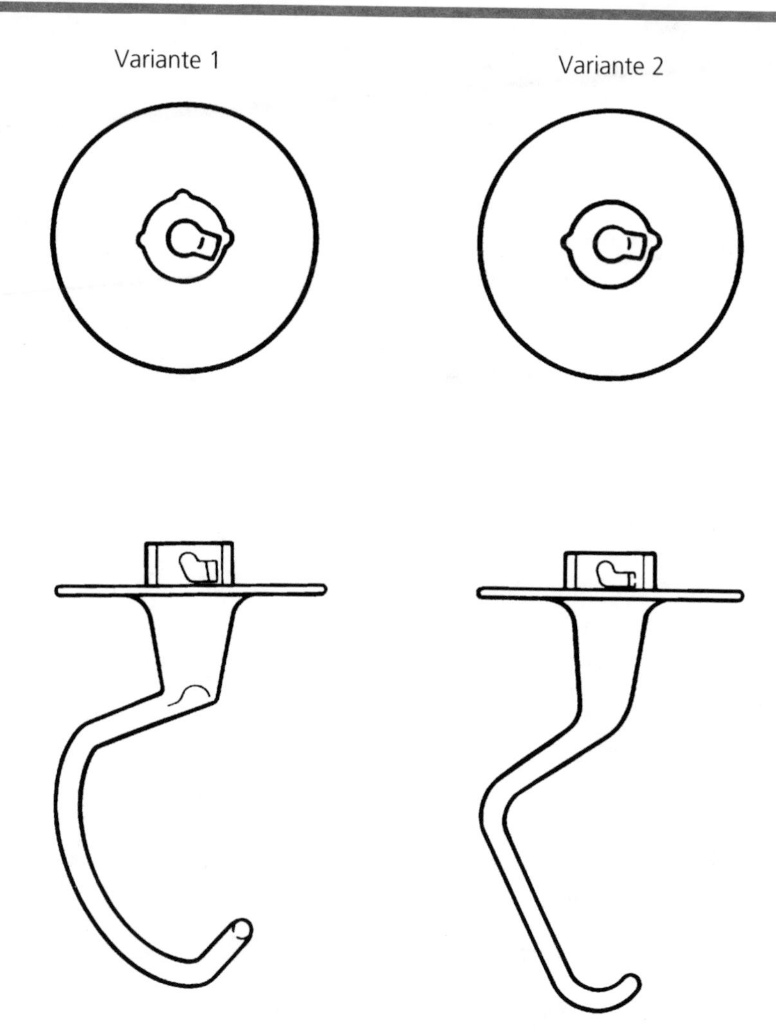

Avant d'utiliser le crochet à pâte, déterminer quel crochet à pâte vous avez, en regardant le col tel qu'illustré ci-dessus.

Les recettes dans ce livre de recettes et d'instructions ont été écrites pour la variante 1 du crochet à pâte; suivre les recettes telles que données. Si le crochet à pâte correspond à la variante 2, les durées de malaxage et de pétrissage indiquées pour chaque recette devraient être presque doublées.

INSTRUCTIONS GÉNÉRALES
POUR LE MALAXAGE ET LE PÉTRISSAGE DE LA PÂTE À LA LEVURE

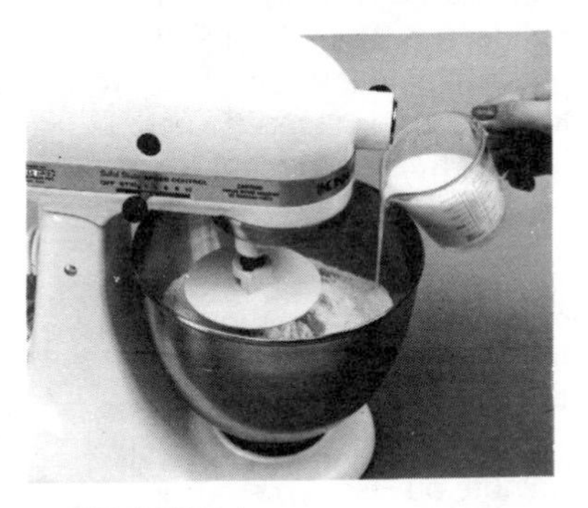

ILLUSTRATION A

ILLUSTRATION B

1. Mettre tous les ingrédients secs dans le bol, y compris la levure, sauf la dernière quantité de 1 à 2 tasses (250 à 500 mL) de farine.
2. Fixer le bol et le crochet à pâte. Verrouiller la tête (modèles K45SS/KSM90) ou relever le bol (modèles K5SS/KSM5). Régler la vitesse à 2 et malaxer pendant environ 15 secondes ou jusqu'à ce que les ingrédients soient mélangés.
3. Toujours à la vitesse 2, ajouter graduellement les ingrédients liquides au mélange de farine, environ 30 secondes à 1 minute. Malaxer une minute de plus. Voir l'illustration A.

   REMARQUE : Si les ingrédients liquides sont ajoutés trop rapidement, ils s'accumuleront autour du crochet et ralentiront le procédé de malaxage.
4. Toujours à la vitesse 2, ajouter le reste de farine en tapant légèrement pour que la farine se dépose autour du bol, ½ tasse (125 mL) à la fois comme requis. Voir l'illustration B. Malaxer jusqu'à ce que la pâte adhère au crochet et se dégage des parois du bol - environ 2 minutes.

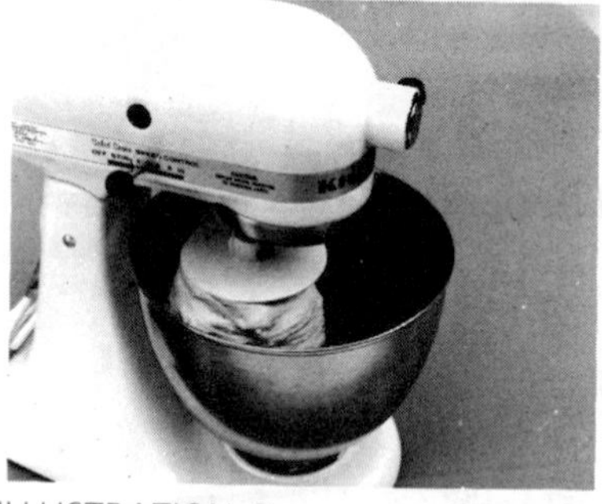

ILLUSTRATION C

5. Lorsque la pâte adhère au crochet, pétrir à la vitesse 2 pendant 2 minutes ou jusqu'à ce que la pâte soit lisse et élastique. Voir l'illustration C.
6. Déverrouiller et relever la tête des modèles K45SS/KSM90 ou baisser le bol des modèles K5SS/KSM5 et retirer la pâte du crochet. Suivre les instructions de la recette pour laisser lever, former et cuire au four.

REMARQUE : Ces instructions montrent comment préparer le pain d'après la méthode de confection rapide. Si vous suivez la méthode conventionnelle, dissoudre la levure dans l'eau tiède dans le bol réchauffé. Ajouter le reste des liquides et les ingrédients secs, sauf la dernière quantité de 1 à 2 tasses (250 à 500 mL) de farine. Régler la vitesse à 2 pour 1 minute ou jusqu'à ce que les ingrédients soient complètement mélangés. Continuer les étapes 4 à 6.

Conseils sur la confection du pain

Confectionner le pain à l'aide de votre nouveau robot culinaire est assez différent que de le faire à la main. Par conséquent, il vous faudra plus de pratique afin de vous familiariser avec cette nouvelle méthode. Pour vous accommoder, nous avons préparé une liste de conseils sur la confection du pain afin de vous aider à vous habituer à confectionner le pain à la façon KitchenAid.

- Commencer avec une recette facile comme celle du pain blanc ordinaire, jusqu'à ce que vous vous soyez familiarisé avec l'utilisation du crochet à pâte.
- Ne JAMAIS utiliser des recettes qui exigent plus de 8 tasses (2 L) de farine tout-usage ou 6 tasses (1,5 L) de farine de blé entier lorsque vous préparez la pâte avec le robot K45SS ou KSM90.
- Ne JAMAIS utiliser des recettes qui exigent plus de 10 tasses (2,5 L) de farine tout-usage ou 8 tasses (2 L) de farine de blé entier lorsque vous préparez la pâte avec le robot K5SS ou KSM5.
- Utiliser un thermomètre de cuisine ou à confiserie pour s'assurer que les liquides sont à la température spécifiée dans la recette. Des liquides trop chauds détruisent la levure tandis que les liquides à température plus basse retardent son action.
- Chauffer tous les ingrédients à la température de la pièce pour permettre à la pâte de bien lever. Si l'on fait dissoudre la levure dans un bol, toujours rincer le bol à l'eau chaude avant de délayer la levure pour empêcher les liquides de refroidir.
- Laisser lever la pâte dans un endroit tiède de 80°F à 85°F (27°C à 30°C), sans courant d'air, à moins qu'il ne soit spécifié autrement dans la recette.

- Le temps pour laisser lever la pâte indiqué dans la recette peut varier en fonction de la température et du niveau d'humidité dans la cuisine. La pâte aura doublé en volume lorsqu'une légère pression demeure après un enfoncement léger et rapide du bout des doigts.
- La plupart des recettes de pain suggèrent la quantité de farine à utiliser. Suffisamment de farine a été ajoutée lorsque la pâte adhère au crochet et non plus aux parois. Si la pâte est collante ou si l'humidité est élevée, ajouter lentement de la farine, ½ tasse (125 mL) à la fois, mais ne JAMAIS dépasser la limite recommandée. À chaque fois, il faut bien incorporer la farine pour obtenir une pâte homogène. Le pain risque de devenir sec s'il y a trop de farine.
- Les pâtes à pain diffèrent et certaines sortes de pâte, surtout les recettes avec grains entiers, peuvent ne pas former de boules sur le crochet. Cependant, quand il y a contact entre le crochet et la pâte, le pétrissage est accompli.
- Parfois, certaines grosses recettes et pâtes molles montent autour de la tête du crochet. Ceci indique ordinairement une pâte collante et qu'il faut ajouter de la farine. Plus toute la farine est ajoutée tôt, moins la pâte montera autour de la tête du crochet. Pour de telles recettes, essayer d'introduire toute la farine, sauf la dernière tasse (250 mL), au début du malaxage. Ajouter ensuite le reste de la farine aussi vite que possible.
- Pour vérifier si les pains sont cuits, en retirer un de son moule et taper sur le dessous du pain. S'il sonne creux, il est cuit. Démouler immédiatement les pains et les laisser refroidir sur des grilles.

Comment former un pain

Diviser la pâte en deux et rouler chaque moitié en un rectangle d'environ 9 x 14 pc (23 x 36 cm). Un rouleau à pâte rendra la pâte lisse et enlèvera les bulles d'air.

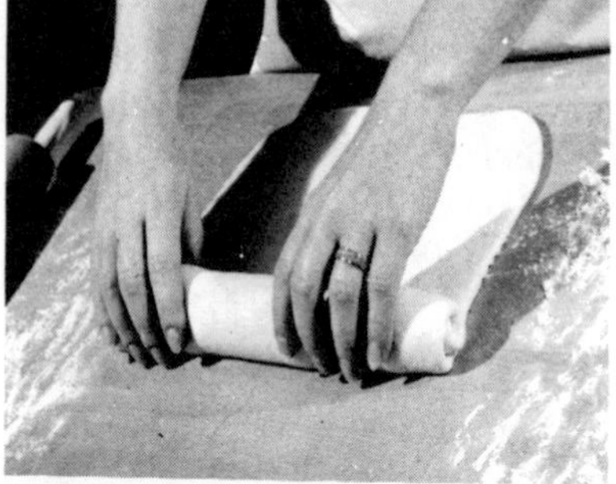

En commençant par le bout le plus court, enrouler la pâte en serrant. Pincer la pâte pour sceller la jointure.

Pincer les bouts et les tourner en dessous. Mettre la pâte, jointure vers le bas, dans un moule à pain. Suivre les instructions de la recette pour la levée et la cuisson.

Pain blanc ordinaire

½ tasse	de lait	125 mL
3 c. à soupe	de sucre granulé	45 mL
2 c. à thé	de sel	10 mL
3 c. à soupe	de beurre ou de margarine	45 mL
2 sachets	de levure sèche active	2 sachets
1½ tasse	d'eau tiède (105-115°F/40-45°C)	375 mL
5 à 6 tasses	de farine tout-usage	1,25-1,5 L

Combiner le lait, le sucre, le sel et le beurre dans une petite casserole. Chauffer à feu doux jusqu'à ce que le beurre ait fondu et que le sucre soit dissous. Laisser tiédir.

Dissoudre la levure dans l'eau tiède dans le bol réchauffé. Ajouter le mélange de lait tiède et 4½ tasses (1,125 L) de farine. Fixer le bol et le crochet à pâte. Régler la vitesse à 2 et malaxer pendant 1 minute. Toujours à la vitesse 2, ajouter le reste de la farine, ½ tasse (125 mL) à la fois, jusqu'à ce que la pâte adhère au crochet et se dégage des parois du bol. Pétrir à la vitesse 2 pendant 2 minutes de plus ou jusqu'à ce que la pâte soit lisse et élastique. La pâte collera légèrement au toucher.

Mettre dans un bol graissé, en tournant la pâte pour en graisser le dessus. Couvrir; laisser lever dans un endroit tiède, sans courant d'air, jusqu'à ce que la pâte ait doublé de volume, environ 1 heure.

Rompre la pâte et la diviser en deux. Former chaque moitié en un pain et mettre dans un moule à pain de 8½ x 4½ x 2½ po (21 x 12 x 6 cm), graissé. Couvrir; laisser lever dans un endroit tiède, sans courant d'air, jusqu'à ce que la pâte ait doublé de volume, environ 1 heure.

Faire cuire au four à 400°F (200°C) pendant 30 minutes. Démouler immédiatement et laisser refroidir sur des grilles.

Donne : 2 pains.

PÂTE SUCRÉE TOUT-USAGE

¾ tasse	de lait	175 mL
½ tasse	de sucre granulé	125 mL
1¼ c. à thé	de sel	6 mL
½ tasse	de beurre ou de margarine	125 mL
2 sachets	de levure sèche active	2 sachets
⅓ tasse	d'eau chaude (105-115°F/40-45°C)	75 mL
3	oeufs, à température ambiante	3
5½-6½ tasses	de farine tout-usage	1,375-1,625 L

Combiner le lait, le sucre, le sel et le beurre dans une petite casserole. Faire chauffer à feu doux jusqu'à ce que le beurre fonde et que le sucre soit dissous. Laisser tiédir.

Dissoudre la levure dans l'eau chaude dans le bol réchauffé. Ajouter le mélange de lait tiède, les oeufs et 5 tasses (1,25 L) de farine. Fixer le bol et le crochet à pâte. Régler la vitesse à 2 et malaxer pendant 2 minutes.

Toujours à la vitesse 2, ajouter le reste de la farine, ½ tasse (125 mL) à la fois, jusqu'à ce que la pâte colle au crochet et se dégage des parois du bol, environ 2 minutes. Pétrir à la vitesse 2 pendant 2 ou 3 minutes de plus.

Mettre la pâte dans un bol graissé, en la retournant pour en graisser le dessus. Couvrir; laisser lever dans un endroit tiède, sans courant d'air, jusqu'à ce que la pâte ait doublé de volume, environ 1 heure.

Rompre la pâte et la former comme désiré pour en faire des petits pains ou des petits gâteaux.

Petits pains roulés à la cannelle

1 tasse	de cassonade	250 mL
1 tasse	de sucre granulé	250 mL
½ tasse	de beurre ou de margarine	125 mL
¼ tasse	de farine tout-usage	50 mL
4½ c. à thé	de cannelle	22 mL
½ tasse	de noix hachées	125 mL
1 recette	de pâte sucrée tout-usage	1 recette

Mettre la cassonade, le sucre granulé, le beurre, la farine, la cannelle et les noix dans le bol. Fixer le bol et le batteur plat. Régler la vitesse à 2 et mélanger pendant 1 minute.

Étaler la pâte et former un rectangle de 10 x 30 x ¼ po (25 cm x 80 cm x 6 mm). Répartir le mélange de sucre-cannelle d'une façon égale sur la pâte. À partir du côté de la longueur, enrouler la pâte en serrant pour former un rouleau de 30 po (80 cm) en pinçant les jointures ensemble. Couper en 21 tranches de 1½ po (3,7 cm).

Mettre 7 petits pains de chaque dans 3 moules à gâteaux de 8 x 1½ po (19 x 3,7 cm), graissés. Couvrir; laisser lever dans un endroit tiède, sans courant d'air, jusqu'à ce que la pâte ait doublé de volume, environ 1 heure.

Faire cuire au four à 350°F (180°C) pendant environ 20 minutes. Démouler immédiatement. Étaler le GLAÇAGE AU CARAMEL sur les petits pains chauds.

Donne : 21 petits pains roulés.

Glaçage au caramel

⅓ tasse	de lait évaporé	75 mL
2 c. à soupe	de cassonade	25 mL
1½ tasse	de sucre glace	375 mL
1 c. à thé	de vanille	5 mL

Combiner le lait évaporé et la cassonade dans une petite casserole. Faire cuire à feu moyen en tournant constamment, jusqu'à ce que le mélange commence à bouillir.

Mettre le mélange de lait, le sucre glace et la vanille dans le bol. Fixer le bol et le batteur plat. Régler la vitesse à 4 et battre jusqu'à consistance crémeuse, environ 2 minutes.

Pain à l'avoine et au miel

1½ tasse	d'eau	375 mL
½ tasse	de miel	125 mL
⅓ tasse	de beurre ou de margarine	75 mL
5½-6½ tasses	de farine tout-usage	1,375-1,625 L
1 tasse	d'avoine à cuisson minute	250 mL
2 c. à thé	de sel	10 mL
2 sachets	de levure sèche active	2 sachets
2	oeufs	2
1 c. à soupe	d'eau	15 mL
1	blanc d'oeuf	1
	Flocons d'avoine	

Combiner l'eau, le miel et le beurre dans une petite casserole. Faire chauffer à feu doux jusqu'à ce que le tout soit très chaud (120-130°F/50-55°C).

Mettre 5 tasses (1,25 L) de farine, l'avoine, le sel et la levure dans le bol. Fixer le bol et le crochet à pâte. Régler la vitesse à 2 et mélanger pendant 15 secondes. Ajouter graduellement les liquides chauds au mélange de farine, environ 1 minute. Ajouter les oeufs et mélanger pendant une minute de plus.

Toujours à la vitesse 2, ajouter le reste de la farine, ½ tasse (125 mL) à la fois, jusqu'à ce que la pâte colle au crochet et se dégage des parois du bol. Pétrir à la vitesse 2 pendant 2 minutes de plus.

Mettre dans un bol graissé, en retournant la pâte pour en graisser le dessus. Couvrir; laisser lever dans un endroit tiède, sans courant d'air, jusqu'à ce que la pâte ait doublé de volume, environ 1 heure.

Rompre la pâte et la diviser en deux. Former chaque moitié en un pain et mettre dans un moule de 8½ x 4½ x 2½ po (21 x 12 x 6 cm), graissé. Laisser lever dans un endroit tiède, sans courant d'air, jusqu'à ce que la pâte ait doublé de volume, environ 1 heure.

Combiner l'eau et le blanc d'oeuf. En badigeonner le dessus des pains. Saupoudrer de flocons d'avoine. Faire cuire au four à 375°F (190°C) pendant 40 minutes. Démouler immédiatement et laisser refroidir sur des grilles.

Donne : 2 pains.

Petits pains soixante minutes

1 tasse	de lait	250 mL
½ tasse	d'eau	125 mL
¼ tasse	de beurre ou de margarine	50 mL
4-5 tasses	de farine tout-usage	1-1,25 L
3 c. à soupe	de sucre granulé	45 mL
1 c. à thé	de sel	5 mL
2 sachets	de levure sèche active	2 sachets

Combiner le lait, l'eau et le beurre dans une petite casserole. Faire chauffer à feu doux jusqu'à ce que le tout soit très chaud (120-130°F/50-55°C); le beurre n'a pas besoin d'être fondu.

Mettre 3½ tasses (875 mL) de farine, le sucre, le sel et la levure dans le bol. Fixer le bol et le crochet à pâte. Régler la vitesse à 2 et mélanger pendant 15 secondes. Ajouter graduellement les liquides chauds au mélange de farine, environ 30 secondes. Mélanger pendant 1 minute de plus.

Toujours à la vitesse 2, ajouter le reste de la farine, ½ tasse (125 mL) à la fois, jusqu'à ce que la pâte colle au crochet et se dégage des parois du bol, environ 2 minutes. Pétrir à la vitesse 2 pendant 2 minutes de plus.

Mettre dans un bol graissé, en retournant la pâte pour en graisser le dessus. Couvrir; laisser lever dans un endroit tiède, sans courant d'air, pendant 15 minutes.

Tourner la pâte sur une planche farinée. La former comme désiré. Voir les variantes ci-dessous. Couvrir; laisser lever dans un four légèrement chaud de 90°F (32°C) pendant 15 minutes. Faire cuire au four à 425°F (220°C) pendant 12 minutes ou jusqu'à cuisson complète. Démouler et laisser refroidir sur des grilles.

Petits pains enroulés : Diviser la pâte en deux et étaler chaque moitié en formant un rectangle de 12 x 9 po (30 x 22 cm). Couper 10 bandes égales d'environ 1 po (2,5 cm) de large. Enrouler chaque bande en serrant pour former un serpentin, en cachant les extrémités en dessous. Mettre sur une tôle graissée, en les espaçant de 2 po (5 cm).

Feuilles de trèfle : Diviser la pâte en 24 morceaux égaux. Former chaque morceau en une boule et les mettre dans un moule à muffins graissé. Avec des ciseaux, couper chaque boule en deux et ensuite en 4.

Donne : 2 douzaines de petits pains.

Pain au blé et à l'aneth

2 sachets	de levure sèche active	2 sachets
¼ tasse	d'eau tiède (105-115°F/40-45°C)	50 mL
¼ tasse	de miel	50 mL
2 tasses	de fromage cottage, à gros grains	500 mL
2 c. à soupe	d'oignon frais, râpé	25 mL
¼ tasse	de beurre ou de margarine, fondu(e)	50 mL
¼ tasse	de graines d'aneth	50 mL
1 c. à soupe	de sel	15 mL
½ c. à thé	de bicarbonate de soude	2 mL
2	oeufs	2
4-4½ tasses	de farine de blé entier	1-1,125 L

Dissoudre la levure dans l'eau tiède dans le bol réchauffé. Ajouter 1 c. à soupe (15 mL) de miel et laisser reposer pendant 5 minutes.

Ajouter le fromage cottage, le reste du miel, l'oignon, le beurre, les graines d'aneth, le sel et le bicarbonate de soude. Fixer le bol et le batteur plat. Régler la vitesse à Stir/Agiter et mélanger pendant 30 secondes. Ajouter les oeufs et continuer à la vitesse Stir/Agiter pendant 15 secondes.

Changer le batteur pour le crochet à pâte et ajouter 3 tasses (750 mL) de farine. Régler la vitesse à 2 et mélanger jusqu'à ce que le tout soit homogène, environ 3 minutes. Ajouter le reste de la farine, ½ tasse (125 mL) à la fois, jusqu'à ce que la pâte colle au crochet et se dégage des parois du bol. Pétrir à la vitesse 2 pendant 2 minutes de plus.

REMARQUE : La pâte peut ne pas former une boule sur le crochet; cependant, quand il y a contact entre la pâte et le crochet, le pétrissage est accompli. Ne pas ajouter plus que la quantité maximum de farine spécifiée sinon le pain deviendra sec.

Mettre dans un bol graissé, et retourner la pâte pour en graisser le dessus. Couvrir; laisser lever dans un endroit tiède, sans courant d'air, jusqu'à ce que la pâte ait doublé de volume, environ 1 heure.

Rompre la pâte et la diviser en deux portions. Former chaque moitié en un pain et mettre dans un moule de 8½ x 4½ x 2½ po (21 x 12 x 6 cm), graissé. Couvrir; laisser lever dans un endroit tiède, sans courant d'air, jusqu'à ce que la pâte ait doublé de volume, environ 45 minutes.

Faire cuire au four à 350°F (180°C) pendant 40 à 50 minutes ou jusqu'à cuisson complète. Démouler immédiatement et laisser refroidir sur des grilles.

Donne : 2 pains.

Brioche

2 sachets	de levure sèche active	2 sachets
1 tasse	de lait tiède (105-115°F/40-45°C)	250 mL
3¾-4¼ tasses	de farine non blanchie	925-1,05 L
¾ tasse	de beurre ou de margarine, ramolli(e)	175 mL
6 c. à soupe	de sucre granulé	90 mL
1 c. à thé	de sel	5 mL
3	oeufs	3
1	jaune d'oeuf	1

Éponge :

Dissoudre la levure dans l'eau tiède dans un bol moyen. Ajouter 1¾ tasse (425 mL) de farine et mélanger à fond. Couvrir le bol avec une cellophane et laisser le mélange lever pendant 45 minutes.

Pâte :

Mettre le beurre, le sucre et le sel dans le bol. Fixer le bol et le batteur plat. Régler la vitesse à 4 et battre en crème pendant 1 minute. Arrêter et racler le bol. Régler la vitesse à 2 et ajouter les oeufs et le jaune d'oeuf, un à la fois, en battant pendant 15 secondes après chaque addition.

Échanger le batteur pour le crochet à pâte et ajouter 1¾ tasse (425 mL) de farine. Régler la vitesse à 2 et mélanger pendant 1 minute jusqu'à ce que le tout soit homogène. Toujours à la vitesse 2, ajouter le reste de la farine, ¼ tasse (50 mL) à la fois, jusqu'à ce que la pâte colle au crochet et se dégage des parois du bol.

Ajouter l'éponge à la pâte. Régler la vitesse à 2 et pétrir pendant 3 minutes. L'éponge devrait se combiner complètement avec la pâte en moins de 3 minutes.

Mettre la pâte dans un bol graissé, et la retourner pour en graisser le dessus. Couvrir; laisser lever à température ambiante, jusqu'à ce que la pâte ait doublé de volume, environ 2 heures.

Rompre la pâte. Couvrir le bol d'une cellophane et réfrigérer au moins 4 heures ou pendant une nuit.

Rompre la pâte. En faire 3 grosses brioches ou 24 petites brioches individuelles. Travailler rapidement car la pâte deviendra collante et difficile à manipuler alors qu'elle se réchauffe à la température ambiante. Mettre dans des moules à brioche à cheminée, graissés. Couvrir; laisser lever à température ambiante, jusqu'à ce que la pâte ait doublé de volume, environ 1 heure.

Faire cuire au four à 375°F (190°C) jusqu'à ce que la brioche soit dorée; 20 à 25 minutes pour les grosses brioches ou 10 à 15 minutes pour les brioches individuelles. Démouler immédiatement et laisser refroidir sur des grilles.

Donne : 3 grosses brioches ou 24 brioches individuelles.

Pains de muffins à l'anglaise

2 tasses	de lait	500 mL
½ tasse	d'eau	125 mL
5-6 tasses	de farine tout-usage	1,25-1,5 L
2 sachets	de levure sèche active	2 sachets
1 c. à soupe	de sucre granulé	15 mL
2 c. à thé	de sel	10 mL
¼ c. à thé	de bicarbonate de soude	1 mL
	Farine de maïs	

Combiner le lait et l'eau dans une petite casserole. Faire chauffer à feu doux jusqu'à ce que le tout soit très chaud (120-130°F/50-55°C).

Mettre 4 tasses (1 L) de farine, la levure, le sucre, le sel et le bicarbonate de soude dans le bol. Fixer le bol et le crochet à pâte. Régler la vitesse à 2 et mélanger pendant 15 secondes. Ajouter graduellement les liquides chauds au mélange de farine, environ 30 secondes. Mélanger pendant 1 minute de plus.

Toujours à la vitesse 2, ajouter le reste de la farine, ½ tasse (125 mL) à la fois. Pétrir à la vitesse 2 pendant 2 minutes de plus. La pâte deviendra très collante.

Répartir la pâte dans deux moules à pain de 8½ x 4½ x 2½ po (21 x 12 x 6 cm) qui ont été graissés et saupoudrés de farine de maïs. Couvrir; laisser lever dans un endroit tiède, sans courant d'air, pendant 45 minutes.

Faire cuire au four à 400°F (200°C) pendant 25 minutes. Démouler immédiatement et laisser refroidir sur des grilles.

Donne : 2 pains.

Pain en couronne au fromage

1¾ tasse	de lait	425 mL
½ tasse	d'eau	125 mL
3 c. à soupe	de beurre ou de margarine	45 mL
6½-7½ tasses	de farine tout-usage	1,625-1,875 L
2 c. à soupe	de sucre granulé	25 mL
1 c. à soupe	de sel	15 mL
2 sachets	de levure sèche active	2 sachets
2 tasses	de fromage cheddar fort, râpé	500 mL
2 c. à soupe	de beurre ou de margarine, fondu(e)	25 mL
¼ c. à thé	de graines de carvi (facultatif)	1 mL

Combiner le lait, l'eau et 3 cuillers à soupe (45 mL) de beurre dans une petite casserole. Faire chauffer à feu doux jusqu'à ce que le tout soit très chaud (120-130°F/50-55°C).

Mettre 6 tasses (1,5 L) de farine, le sucre, le sel et la levure dans le bol. Fixer le bol et le crochet à pâte. Régler la vitesse à 2 et mélanger pendant 15 secondes. Ajouter graduellement le fromage, puis les liquides chauds, pendant environ 45 secondes. Mélanger à la vitesse 2 jusqu'à ce que les ingrédients soient complètement combinés, environ 1 minute de plus.

Toujours à la vitesse 2, ajouter le reste de la farine, ½ tasse (125 mL) à la fois, jusqu'à ce que la pâte colle au crochet et se dégage des parois du bol. Pétrir à la vitesse 2 pendant 2 minutes de plus.

Mettre dans un bol graissé, et retourner la pâte pour en graisser le dessus. Couvrir; laisser lever dans un endroit tiède, sans courant d'air, jusqu'à ce que la pâte ait doublé de volume, environ 40 minutes.

Rompre la pâte. La diviser en 32 morceaux égaux. Former chaque morceau en une boule lisse. Disposer 16 boules au fond d'un moule à cheminée de 10 po (25 cm), graissé. Les badigeonner avec le beurre fondu et les saupoudrer avec la moitié des graines de carvi. Mettre les autres boules de pâte par-dessus. Les badigeonner avec le beurre fondu et les saupoudrer avec le reste des graines de carvi.

Couvrir; laisser lever dans un endroit tiède, sans courant d'air, jusqu'à ce que la pâte ait doublé de volume, environ 45 minutes. Faire cuire au four à 375°F (190°C) pendant 40 minutes. Démouler immédiatement et laisser refroidir sur des grilles.

Donne : 1 pain.

Pain blanc à confection rapide

6-7 tasses	de farine tout-usage	1,5-1,75 L
2 c. à soupe plus 1 c. à thé	de sucre granulé	30 mL plus 5 mL
3½ c. à thé	de sel	17 mL
3 sachets	de levure sèche active	3 sachets
¼ tasse	de beurre ou de margarine, ramolli(e)	50 mL
2 tasses	d'eau très chaude (120-130°F/50-55°C)	500 mL

Mettre 5½ tasses (1,375 L) de farine, le sucre, le sel, la levure et le beurre dans le bol. Fixer le bol et le crochet à pâte. Régler la vitesse à 2 et mélanger pendant 15 secondes. Ajouter graduellement l'eau chaude, pendant environ 30 secondes. Mélanger 1 minute de plus.

Toujours à la vitesse 2, ajouter le reste de la farine, ½ tasse (125 mL) à la fois, jusqu'à ce que la pâte colle au crochet et se dégage des parois du bol, environ 2 minutes. Pétrir à la vitesse 2 pendant 2 minutes de plus.

Enlever le bol et couvrir la pâte d'une cellophane, puis d'une serviette. Laisser reposer 20 minutes.

Diviser la pâte en deux et former chaque moitié en un pain. Mettre dans un moule de 9 x 5 x 3 po (23 x 13 x 7,5 cm), graissé. Badigeonner chaque pain avec de l'huile et couvrir d'une cellophane, sans serrer. Réfrigérer pendant 2 à 12 heures.

Lorsque la pâte est prête à cuire, découvrir soigneusement la pâte. La laisser reposer à température ambiante pendant 10 minutes. Percer toute bulle d'air qui aurait pu se former.

Faire cuire au four à 400°F (200°C) pendant 35 à 40 minutes. Démouler immédiatement et laisser refroidir sur des grilles.

Donne : 2 pains.

Croustillante pâte à pizza

1 sachet	de levure sèche active	1 sachet
1 tasse	d'eau tiède (105-115°F/40-45°C)	250 mL
½ c. à thé	de sel	2 mL
2 c. à thé	d'huile d'olive	10 mL
2½-3½ tasses	de farine tout-usage	625-875 mL
	Farine de maïs	

Dissoudre la levure dans l'eau tiède dans le bol réchauffé. Ajouter le sel, l'huile d'olive et 2½ tasses (625 mL) de farine. Fixer le bol et le crochet à pâte. Régler la vitesse à 2 et mélanger pendant 1 minute.

Toujours à la vitesse 2, ajouter le reste de la farine, ½ tasse (125 mL) à la fois, jusqu'à ce que la pâte colle au crochet et se dégage des parois du bol. Pétrir à la vitesse 2 pendant 2 minutes.

Mettre dans un bol graissé, et retourner la pâte pour en graisser le dessus. Couvrir; laisser lever dans un endroit tiède, sans courant d'air, jusqu'à ce que la pâte ait doublé de volume, environ 1 heure. Rompre la pâte.

Badigeonner d'huile une tôle à pizza de 14 po (35 cm); saupoudrer de farine de maïs. Abaisser la pâte sur toute la tôle, en formant un col autour du rebord pour retenir la garniture. Ajouter la garniture désirée. Faire cuire au four à 450°F (230°C) pendant 15 à 20 minutes.

Donne : 1 croûte à pizza de 14 po (35 cm).

PAIN À L'ORANGE

⅓ tasse	de lait	75 mL
½ tasse	de beurre ou de margarine, ramolli(e)	125 mL
⅓ tasse	de sucre granulé	75 mL
½ c. à thé	de sel	2 mL
1 sachet	de levure sèche active	1 sachet
¼ tasse	d'eau tiède (105-115°F/40-45°C)	50 mL
2	oeufs	2
3½-4 tasses	de farine tout-usage	875 mL-1 L
1½ tasse	de fromage ricotta	375 mL
½ tasse	de marmelade à l'orange	125 mL
2 c. à thé	de zeste d'orange, râpé	10 mL
1 c. à soupe	de sucre granulé	15 mL

Combiner le lait, le beurre, le sucre et le sel dans une petite casserole. Chauffer à feu doux jusqu'à ce que le beurre ait fondu et que le sucre soit dissous. Laisser tiédir.

Dissoudre la levure dans l'eau tiède dans le bol réchauffé. Ajouter le mélange de lait tiède, les oeufs et 2 tasses (500 mL) de farine. Fixer le bol et le crochet à pâte. Régler la vitesse à 2 et mélanger pendant 1 minute. Toujours à la vitesse 2, ajouter le reste de la farine, ½ tasse (125 mL) à la fois, jusqu'à ce que la pâte colle au crochet et se dégage des parois du bol. Pétrir à la vitesse 2 pendant 2 minutes de plus ou jusqu'à ce que la pâte soit lisse et élastique.

Mettre dans un bol graissé, et retourner la pâte pour en graisser le dessus. Couvrir; laisser lever dans un endroit tiède, sans courant d'air, jusqu'à ce que la pâte ait doublé de volume, environ 1 heure.

Mettre le fromage ricotta, la marmelade à l'orange, le zeste d'orange et le sucre dans le bol propre. Fixer le bol et le batteur plat. Régler la vitesse à Stir/Agiter et mélanger pendant 30 secondes.

Rompre la pâte. L'étaler en formant un rectangle de 10 x 14 po (25 x 35 cm). Étaler le mélange de fromage de façon égale sur la pâte. Enrouler la pâte en serrant du côté de 10 po (25 cm), en pinçant les jointures pour sceller. Pincer les extrémités ensemble pour former un anneau et mettre dans un moule à kouglof de 10 po (25 cm). Couvrir; laisser lever dans un endroit tiède, sans courant d'air, jusqu'à ce que la pâte ait doublé de volume, environ 1 heure.

Faire cuire au four à 350°F (180°C) pendant 35 à 40 minutes. Démouler immédiatement et laisser refroidir sur une grille.

Donne : 1 pain de 10 po (25 cm).

ACCESSOIRES KITCHENAID

INFORMATION GÉNÉRALE

La conception des accessoires KitchenAid leur confère une grande longévité. La section carrée du piton d'entraînement de l'accessoire et du trou correspondant dans l'arbre moteur de l'appareil élimine tout risque de glissement lors de la transmission de l'énergie à l'accessoire. Le connecteur d'accessoire et le logement de l'arbre de transmission comportent une conicité qui garantit un ajustement étroit, même après un service prolongé et l'usure des pièces. Le fonctionnement des accessoires KitchenAid ne nécessite aucune source d'énergie additionnelle; l'unité motrice est incorporée à l'appareil.

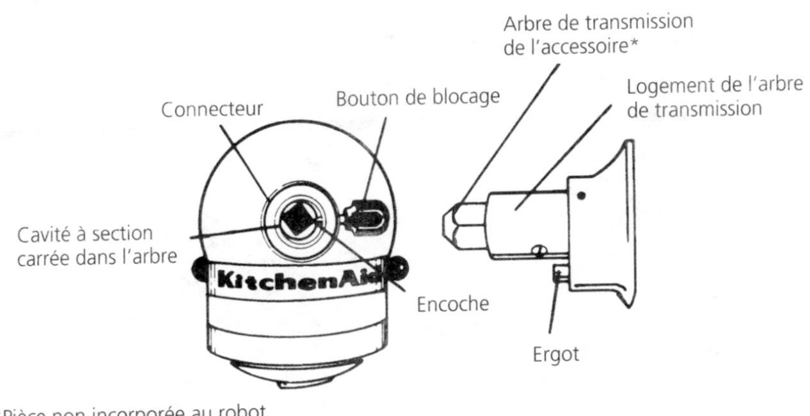

*Pièce non incorporée au robot.

INSTRUCTIONS GÉNÉRALES

INSTALLATION :

1. Arrêter le robot.
2. Desserrer le bouton de blocage (rotation dans le sens antihoraire).
3. Ôter le couvercle du connecteur d'accessoire.
4. Insérer le logement de l'arbre de transmission de l'accessoire dans le connecteur d'accessoire; veiller à bien accoupler l'extrémité à section carrée de l'arbre de transmission dans la cavité à section carrée du connecteur. Il peut être nécessaire de faire pivoter l'accessoire dans un sens et dans l'autre. Lorsque l'accessoire est à la position convenable, l'ergot de l'accessoire pourra s'engager dans la cavité située à la périphérie du connecteur d'accessoire.
5. Serrer le bouton de blocage en le faisant tourner dans le sens horaire jusqu'à ce que l'accessoire soit solidement fixé au robot.

1. Arrêter le robot.
2. Desserrer le bouton de blocage (rotation dans le sens antihoraire). Faire légèrement pivoter l'accessoire dans un sens et dans l'autre tout en tirant pour l'extraire.
3. Réinstaller le couvercle du connecteur d'accessoire.
4. Serrer le bouton de blocage (rotation dans le sens horaire).

Couvercle verseur en 2 morceaux, Modèle KPS2CL

Utilisation avec les robots Modèles K45SS et KSM90:

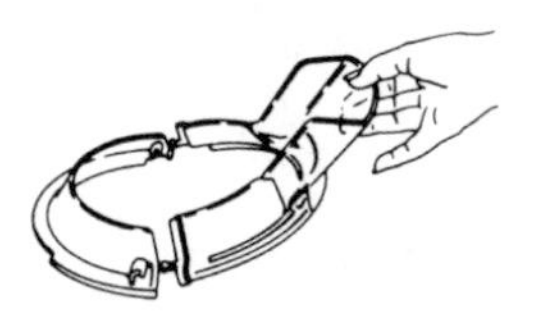

INSTALLATION (2 méthodes) :

1. Insérer les onglets de la partie avant de l'accessoire de versage sous les ouvertures destinées à les recevoir, et abaisser pour immobiliser la pièce en place.

   Fixer le bol sur le robot. Mettre l'accessoire de versage assemblé sur le bol.

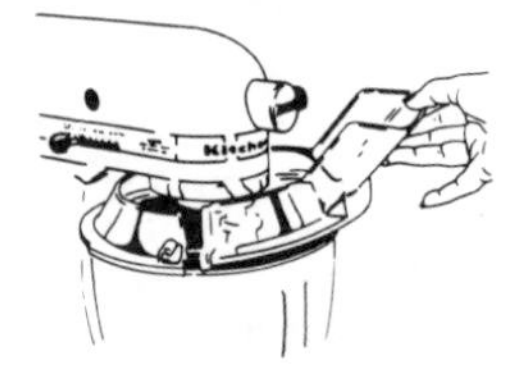

2. Fixer le bol sur le robot. Mettre la partie arrière de l'accessoire de versage (sans goulotte) sur le bol. Insérer les onglets de la partie avant de l'accessoire sous les cavités destinées à les recevoir dans la partie arrière, et abaisser pour immobiliser les deux pièces ensemble.

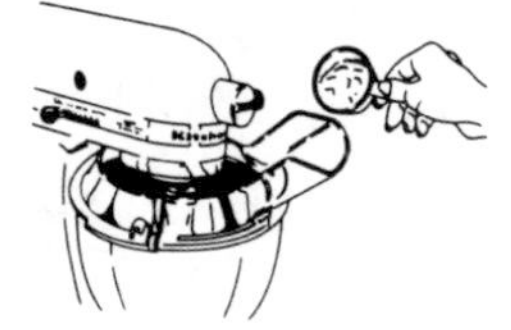

UTILISATION :

Soulever la tête du robot. Installer le batteur plat, le fouet ou le crochet à pâte. Faire descendre le batteur à travers la portion, avec goulotte, de l'accessoire de versage. Verser les ingrédients dans le bol, par la goulotte de l'accessoire de versage.

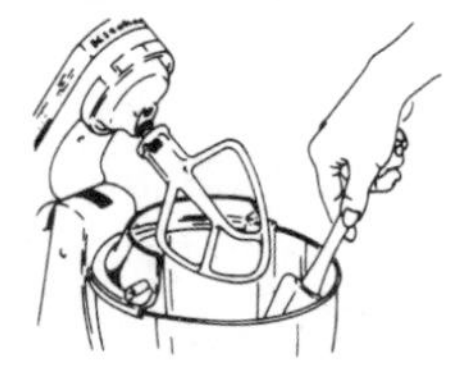

RACLAGE DU BOL :

Arrêter le robot. Soulever la tête du robot. Soulever la partie avant de l'accessoire de versage et la tirer pour la séparer de la partie arrière. Racler le bol.

Réinstaller l'accessoire de versage sur le bol : insérer les onglets sous les cavités destinées à les recevoir, et abaisser pour l'immobilisation en place.

UTILISATION AVEC LES ROBOTS MODÈLES K5SS ET KSM5 :

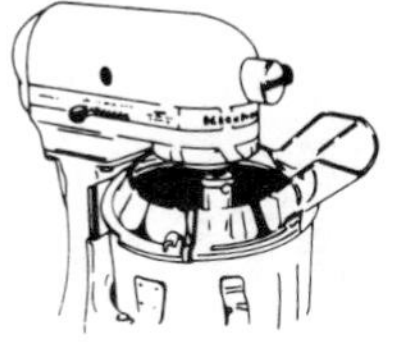

INSTALLATION (2 méthodes) :

Voir les instructions données pour les modèles K45SS et KSM90.

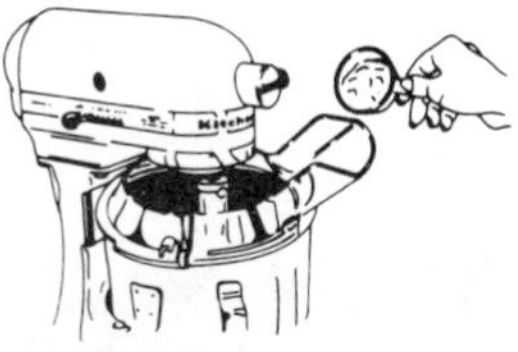

UTILISATION :

Faire descendre le batteur plat, le fouet ou le crochet à pâte dans le bol par la portion, avec goulotte, de l'accessoire de versage, et connecter le batteur au robot. Soulever le bol jusqu'à la tête du robot.

Verser les ingrédients dans le bol, par la goulotte de l'accessoire de versage.

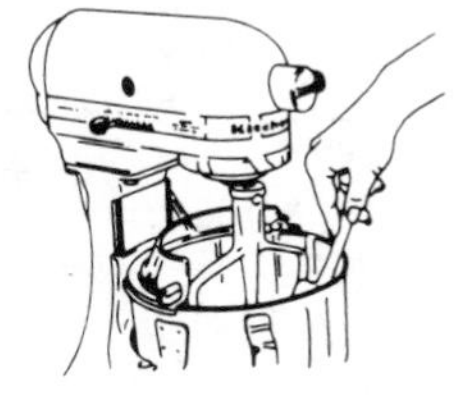

RACLAGE DU BOL :

Arrêter le robot. Abaisser le bol. Soulever la partie avant de l'accessoire de versage et la tirer pour la séparer de la partie arrière. Racler le bol.

Réinstaller l'accessoire de versage sur le bol : insérer les onglets sous les cavités destinées à les recevoir, et abaisser pour l'immobilisation en place.

HACHOIR, MODÈLE : FGA

ASSEMBLAGE :

Insérer la vis transporteuse dans le corps du hachoir. Mettre le couteau sur l'embout à section carrée, à l'extrémité exposée de la vis transporteuse. Mettre la grille perforée sur le couteau (faire correspondre les encoches et protubérances de la grille et du corps du hachoir). Mettre la bague-écrou sur le corps du hachoir; serrer à la main, sans excès. NE PAS UTILISER LA CLÉ POUR SERRER LA BAGUE-ÉCROU.

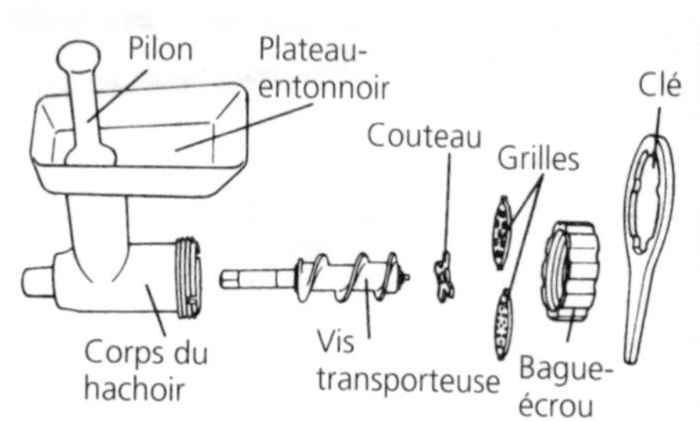

INSTALLATION DE L'ACCESSOIRE SUR L'APPAREIL :

Desserrer la vis de blocage (1) en la faisant tourner dans le sens antihoraire. Ôter le couvercle du connecteur d'accessoire. Insérer le logement de l'arbre de transmission de l'accessoire (2) dans le connecteur d'accessoire (3); veiller à ce que l'extrémité à section carrée de l'arbre de transmission de l'accessoire soit bien insérée dans la cavité à section carrée. Si c'est nécessaire, faire pivoter l'accessoire dans un sens et dans l'autre. Lorsque l'accessoire est à la position convenable, l'ergot de l'accessoire s'engage dans la cavité à la périphérie du connecteur. Serrer le bouton de blocage pour immobiliser l'accessoire sur le robot. Voir la section "Information générale", page 65.

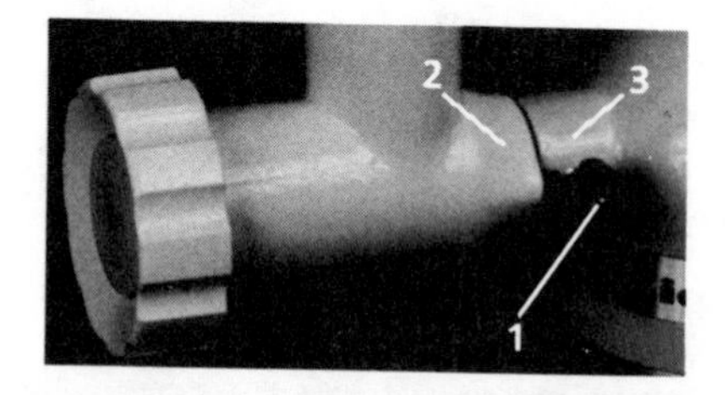

UTILISATION :

Avant d'utiliser l'accessoire, lire la brochure d'instructions fournie avec l'accessoire.

Découper l'aliment en petits morceaux et les mettre sur le plateau-entonnoir. Découper la viande en bandes longues et étroites. Régler la vitesse du robot à 4 et introduire les morceaux dans le tube du hachoir avec le pilon. **NE JAMAIS INTRODUIRE LES DOIGTS DANS LE TUBE DU HACHOIR.**

⚠ MISE EN GARDE

Un liquide peut s'accumuler dans le plateau-entonnoir lors du traitement de grandes quantités d'aliments contenant beaucoup d'eau comme les tomates ou canneberges. Pour drainer le liquide, continuer à faire fonctionner le robot. NE PAS HACHER UNE QUANTITÉ ADDITIONNELLE D'ALIMENTS AVANT QUE LA TOTALITÉ DU LIQUIDE SE SOIT ÉCOULÉE DU PLATEAU; LE ROBOT POURRAIT SUBIR DES DOMMAGES.

⚠AVERTISSEMENT

RISQUE DE BLESSURES

- **Lors de l'utilisation d'un appareil électrique, toujours observer les précautions de sécurité essentielles. Voir les importantes instructions de sécurité présentées à la page 3 de ce manuel. De plus, observer les instructions suivantes :**
- **TOUJOURS utiliser le pilon pour faire descendre les morceaux d'aliments dans le hachoir. NE PAS INTRODUIRE LES DOIGTS DANS LE TUBE.**
- **NE PAS UTILISER LES DOIGTS pour détacher les particules d'aliments de la grille de sortie pendant que l'appareil fonctionne, afin d'éviter de se couper.**

GRILLE À GROS TROUS : Utiliser cette grille pour hacher les viandes cuites pour les salades, de la viande de porc crue pour les saucisses, des légumes fermes, des fruits secs ou du fromage.

GRILLE À PETITS TROUS : Utiliser cette grille pour hacher des viandes crues, de la viande cuite pour les tartinades, et le pain pour faire de la mie de pain.

HACHAGE DES VIANDES : Pour l'obtention d'un produit plus tendre et mieux distribué, hacher deux fois la viande de boeuf. On obtient la meilleure texture lors du hachage d'une viande très froide ou partiellement congelée. La viande de porc est relativement grasse; il suffit de la hacher une fois.

HACHAGE DU PAIN : Lors du hachage de pain pour faire de la mie de pain, s'assurer que le pain a été parfaitement séché au four (élimination de la totalité de l'humidité), ou qu'il n'est pas du tout asséché. Le pain partiellement asséché peut enrayer et bloquer le hachoir.

On ne doit pas hacher dans le hachoir des aliments très durs et denses, comme du pain maison totalement asséché. Un pain maison devrait être haché lorsqu'il est frais; assécher ensuite les miettes au four ou à l'air.

DESSERRAGE DE LA BAGUE-ÉCROU : Si la bague-écrou est très serrée, au point qu'il soit possible de la dévisser à la main, utiliser la clé. Faire tourner la clé dans le sens antihoraire.

⚠ MISE EN GARDE

NE JAMAIS UTILISER LA CLÉ POUR VISSER LA BAGUE-ÉCROU SUR LE CORPS DU HACHOIR; LE HACHOIR POURRAIT SUBIR DES DOMMAGES.

ENTONNOIR À SAUCISSE, MODÈLE : SSA

Un accessoire de production de saucisses est disponible pour l'utilisation avec le hachoir. Utiliser le petit entonnoir à saucisse pour la préparation de saucisses pour petit déjeuner; utiliser le plus grand entonnoir à saucisse pour la préparation de produits de plus gros diamètre, comme les saucisses allemandes on le saucisson italien ou polonais.

POSE DE L'ACCESSOIRE : Ôter la grille perforée et le couteau du hachoir. Introduire l'entonnoir à saucisse choisi à travers la bague-écrou, puis visser la bague-écrou sur le corps du hachoir; serrer à la main seulement, sans excès.

GARNISSAGE DES SAUCISSES :
Avant d'utiliser l'accessoire, lire la brochure d'instructions fournie avec celui-ci.

Lors de l'emploi d'une enveloppe naturelle, la faire d'abord tremper dans de l'eaufroide pendant 30 minutes pour éliminer l'excès de sel, puis rincer plusieurs fois à l'eau courante froide sur toute la longueur de l'enveloppe.

Graisser le tube avec de la graisse végétale et enfiler 3 à 4 pi (0,9 à 1,2 mètre) d'enveloppe sur le tube. Obturer l'extrémité de l'enveloppe avec un fil noué. Régler la vitesse du robot à 4 et introduire lentement le mélange de viande hachée dans le tube du hachoir, à l'aide du pilon. Tenir l'extrémité nouée de l'enveloppe d'une main, et guider le mélange de viande à mesure qu'il remplit l'enveloppe. Ne pas trop tasser le mélange dans l'enveloppe; laisser suffisamment de place pour qu'il soit possible de séparer le produit en sections de petite longueur par torsion de l'enveloppe, et pour tenir compte de la dilatation au cours de la cuisson. Si une poche d'air se développe, percer l'enveloppe avec un cure-dents ou une épingle. Pour exécuter une recette utilisant plusieurs livres de viande, il peut être nécessaire d'employer plusieurs enveloppes successivement pour pouvoir utiliser la totalité du mélange de viande hachée. Pour former des sections de saucisse de petite longueur, étendre l'enveloppe pleine de viande hachée sur une surface plane et faire tourner les sections sur elles-mêmes à intervalles réguliers, en imposant un mouvement de torsion à l'enveloppe. Il est possible de conserver les saucisses fraîches pendant 1 à 2 jours au réfrigérateur, ou jusqu'à 30 jours au congélateur.

Pâté de foie de volaille

1 lb	de foies de volaille	500 g
3	oeufs durs	3
1	petit oignon, en quartiers	1
¼ tasse	de beurre ou de margarine, ramolli(e)	50 mL
	une pincée de poivre	
½ c. à thé	de sel	2 mL
⅛ c. à thé	de cayenne	0,5 mL
⅛ c. à thé	de poudre d'oignon	0,5 mL
⅛ c. à thé	de sel à l'ail	0,5 mL

Griller les foies jusqu'à ce qu'ils soient bien cuits. Ne pas cuire à l'excès. Assembler et installer le hachoir (utiliser la grille à petits trous). Régler la vitesse à 4 et hacher les foies, les oeufs et l'oignon dans le bol.

Fixer le bol et le batteur plat. Ajouter le beurre, le poivre, le sel, le cayenne, la poudre d'oignon et le sel à l'ail. Régler la vitesse à Stir/Agiter pendant 30 secondes puis passer à la vitesse 4. Battre pendant 1 minute environ jusqu'à l'obtention d'un mélange lisse et léger. Recouvrir d'une cellophane et réfrigérer. Servir avec des craquelins assortis.

Donne : 2 tasses (500 mL).

Trempette épicée au chili

5	chilis jalapeno	5
1	gros poivron vert, débarrassé de ses graines et découpé en six morceaux	1
5	grosses tomates, épluchées et découpées en six morceaux	5
1	petit oignon, découpé en six morceaux	1
1	gousse d'ail	1
1 c. à thé	de sel	5 mL
½ c. à thé	d'origan déshydraté	2 mL

Assembler et installer le hachoir; utiliser la grille à gros trous. Régler la vitesse à 4 et hacher les chilis, le poivron vert, les tomates, l'oignon et la gousse d'ail dans le bol. Ajouter le sel et l'origan. Fixer le bol et le batteur plat. Régler la vitesse à 2 et mélanger pendant 1 minute. Transférer le mélange dans un récipient et réfrigérer pendant une nuit avant de servir. Servir avec des croustilles de maïs.

Donne : 4 tasses (1 L).

PÂTÉ DE VIANDE ROULÉ MONTEREY

1 boîte de 8 oz	de sauce tomate	1 boîte de 227 mL
1 boîte de 5½ oz	de pâte de tomate	1 boîte de 156 mL
1 c. à thé	d'origan	5 mL
1 lb	de boeuf	500 g
½ lb	de veau	250 g
½ lb	de porc	250 g
1	petit oignon, en quartiers	1
¾ tasse	de mie de pain émiettée	175 mL
1	oeuf	1
½ c. à thé	de sel	2 mL
¼ c. à thé	de poivre	1 mL
2 tasses	de fromage Monterey Jack, râpé	500 mL

Combiner la sauce tomate, la pâte de tomate et ½ c. (2 mL) à thé d'origan dans un petit bol. Réserver.

Assembler et installer le hachoir; utiliser la grille à petits trous. Régler la vitesse à 4 et hacher le boeuf, le veau, le porc et l'oignon dans le bol. Ajouter dans le bol la mie de pain, l'oeuf, le reste de l'origan, le sel, le poivre et la moitié du mélange à la tomate.

Fixer le bol et le batteur plat. Régler la vitesse à 2 et mélanger pendant 1 minute. Retourner le bol sur une feuille de papier paraffiné et donner au mélange la forme d'un rectangle de 9 x 13 po (22 x 34 cm). Saupoudrer uniformément le fromage sur la viande. Rouler, en commençant par le côté le plus long. Sceller en appuyant sur les bords et les extrémités du roulé.

Mettre le pain de viande roulé sur une tôle à biscuits non graissée, jointure vers le bas. Cuire à 350°F (180°C) pendant 1 heure, 15 minutes. Enlever l'excès de graisse. Verser sur le mets le reste du mélange à la tomate. Remettre le mets au four et faire cuire 15 minutes de plus.

Donne : 10 portions.

Relish aux pommes

5	oignons, en quartiers	5
1 c. à thé	de cayenne, broyé	5 mL
1 tasse	d'eau bouillante	250 mL
1 c. à soupe	de sel	15 mL
14	grosses pommes rouges, vidées et en quartiers	14
4 tasses	de vinaigre blanc	1 L
4 tasses	de sucre granulé	1 L
2 c. à thé	de piment de la Jamaïque	10 mL
1 c. à soupe	de clous de girofle entiers	15 mL
1	bâtonnet de cannelle	1

Assembler et installer le hachoir; utiliser la grille à gros trous. Régler la vitesse à 4 et hacher les oignons et le cayenne dans un petit bol. Ajouter l'eau et le sel. Laisser reposer 15 minutes, puis égoutter.

Installer le hachoir propre muni de la grille à gros trous. Hacher les pommes dans un récipient de 5 pintes (4,7 L). Ajouter les oignons et le cayenne, le vinaigre, le sucre, et un sachet de tissu contenant le piment de la Jamaïque. Porter à ébullition et faire cuire pendant 15 minutes. Ôter le sachet de piment. Transférer à l'aide d'une louche dans des pots stérilisés chauds, et laisser séjourner dans l'eau bouillante pendant 15 minutes. Retirer les pots du bain d'ébullition; laisser refroidir et inspecter les joints.

Donne : environ 6 chopines (3 L).

Bloc-râpeur, Modèle : RVSA

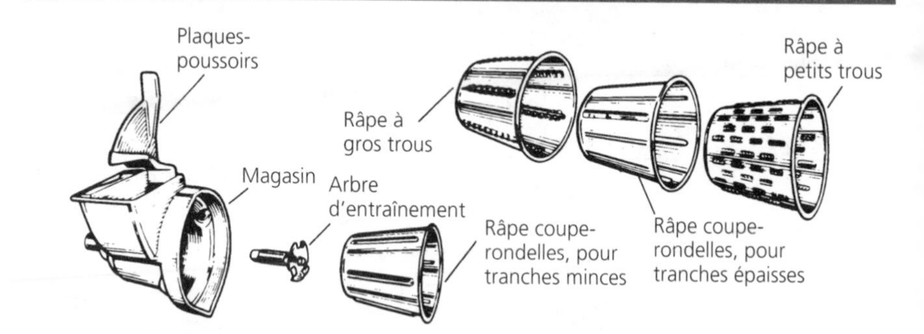

⚠AVERTISSEMENT

RISQUE DE BLESSURES

- **Lors de l'utilisation d'un appareil électrique, observer les précautions de sécurité essentielles. Voir les instructions de sécurité importantes présentées à la page 3. De plus, observer les précautions suivantes :**
- **TOUJOURS utiliser le bloc-râpeur totalement assemblé.**
- **TOUJOURS utiliser les plaques-poussoirs en les tenant par la poignée pour appuyer sur les aliments. NE JAMAIS APPUYER AVEC LES DOIGTS OU UNE CUILLER.**
- **Les lames des râpes coniques sont tranchantes. Manipuler les râpes avec prudence. Le non-respect de ces instructions peut être à l'origine de blessures.**

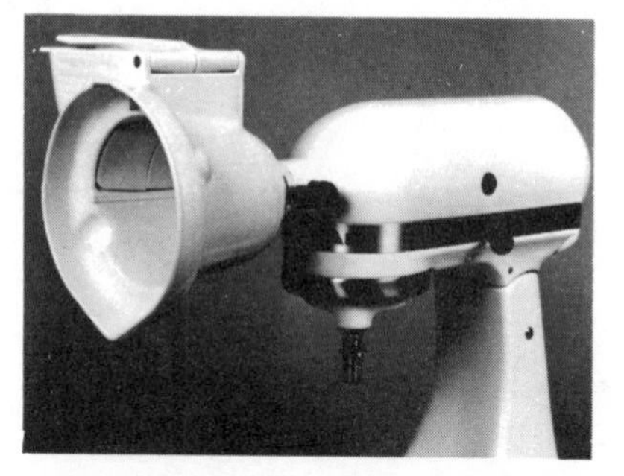

ASSEMBLAGE ET INSTALLATION DU BLOC-RÂPEUR :

Desserrer le bouton de blocage : faire tourner le bouton dans le sens antihoraire. Ôter le couvercle du connecteur d'accessoire. Insérer le corps dans le connecteur d'accessoire du robot et serrer le bouton de blocage. Lorsque l'accessoire est à la position convenable, l'ergot de l'accessoire s'engage dans l'encoche sur la périphérie du connecteur. Voir la section "Information générale" à la page 65.

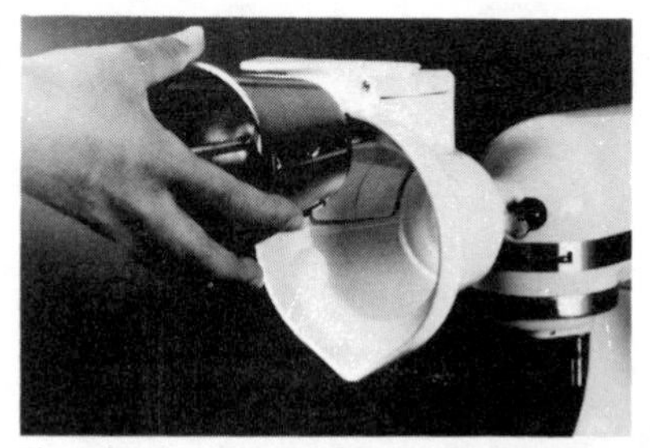

Fixer l'arbre d'entraînement sur la râpe désirée.

Insérer l'extrémité à section carrée de l'arbre dans l'ouverture à section carrée du corps, et serrer en faisant tourner la râpe conique dans le sens horaire. Inverser ces opérations pour séparer les deux composants.

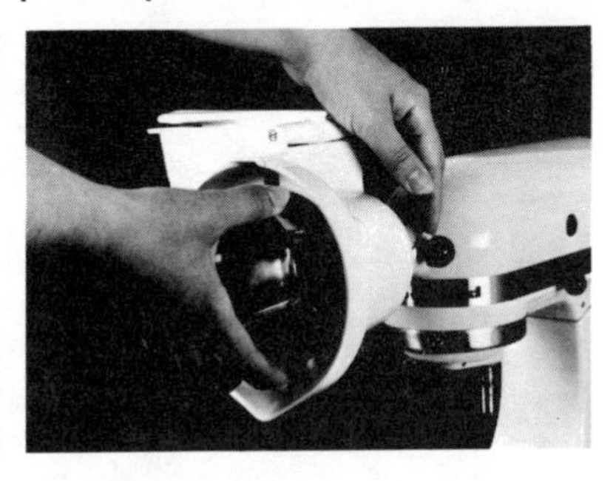

Insérer le bloc-râpeur dans le corps du robot de telle manière que l'arbre d'entraînement s'adapte dans la cavité à section carrée du connecteur. Lorsque le bloc-râpeur est complètement enfoncé, il est automatiquement immobilisé à sa position de fonctionnement par le dispositif de verrouillage.

UTILISATION :

Avant d'utiliser le bloc-râpeur, lire les instructions présentées dans la brochure d'instructions qui l'accompagne.

Pour utiliser le bloc-râpeur, relever les plaques-poussoirs et introduire les aliments dans le magasin du bloc-râpeur. Régler la vitesse à 4 et pousser les aliments avec les plaques-poussoirs. Lorsqu'il s'agit de trancher ou de râper un seul article, comme du céleri, il est possible d'utiliser la moitié seulement de l'ensemble, en ne soulevant qu'une plaque-poussoir pour l'addition du produit alimentaire. Récupérer le produit tranché ou râpé dans un bol placé sous le bloc-râpeur.

LES RÂPES ET LEUR EMPLOI :

Chaque râpe est numérotée à l'extrémité fermée.

Utiliser ces numéros pour la commande de râpes de remplacement.

N° 1 RÂPE À PETITS TROUS :

Pour le râpage fin des légumes durs et fermes comme carottes, betteraves, navets, pommes de terre, céleris et noix, et de fromages froids et fermes, noix de coco et pain sec.

N° 2 RÂPE À GROS TROUS :

Pour le râpage grossier des carottes, céleris, oignons, fruits, noix ou chocolat. On peut également l'utiliser pour râper des pommes de terre en filaments ou en hachis.

N° 3 RÂPE COUPE-RONDELLES, POUR TRANCHES ÉPAISSES :

Pour le découpage en tranches épaisses des aliments fermes. Accessoire parfait pour les légumes qui seront ensuite cuits à la vapeur, frits, cuits en coquille ou cuits en crème.

N° 4 RÂPE COUPE-RONDELLES, POUR TRANCHES MINCES :

Pour le découpage en tranches minces de légumes (salades de chou, croustilles, choucroute, cornichons doux, concombres, radis, céleris et noix).

CHANGEMENT DES RÂPES :

On doit soulever le loquet pour pouvoir retirer le bloc-râpeur. Il est facile de changer la râpe; pour cela, insérer l'extrémité à section carrée de l'arbre dans l'ouverture à section carrée, et tourner dans le sens antihoraire.

Pain aux courgettes

2	petites courgettes, épluchées	2
1 tasse	de noix	250 mL
3	oeufs	3
2 tasses	de sucre granulé	500 mL
1 tasse	d'huile végétale	250 mL
1 c. à soupe	de vanille	15 mL
3 tasses	de farine tout-usage	750 mL
1 c. à soupe	de cannelle	15 mL
1 c. à thé	de sel	5 mL
1 c. à thé	de bicarbonate de soude	5 mL
¼ c. à thé	de poudre à lever	1 mL
1 tasse	de raisins secs	250 mL

Assembler et installer le bloc-râpeur; utiliser la râpe à petits trous n° 1. Régler la vitesse à 4 et râper les courgettes. Réserver. Remplacer la râpe n° 1 par la râpe à gros trous n° 2. Régler la vitesse à 4 et râper les noix dans un autre récipient.

Fixer le bol et le batteur plat, et ajouter les oeufs. Régler la vitesse à 4 et battre pendant 2 minutes environ jusqu'à ce que les oeufs aient une consistance légère et mousseuse. Arrêter. Ajouter le sucre, l'huile, les courgettes et la vanille. Régler la vitesse à Stir/Agiter et battre pendant 1 minute environ jusqu'à l'obtention d'un mélange uniforme. Arrêter le robot.

Tamiser les ingrédients secs ensemble. Régler la vitesse à Stir/Agiter et battre pendant 1 minute environ en ajoutant graduellement les ingrédients secs, jusqu'à ce qu'ils soient bien mélangés. Arrêter et racler le bol. Ajouter les raisins et les noix, et battre à la vitesse Stir/Agiter jusqu'à ce que le tout soit bien mélangé.

Verser le contenu du bol dans deux moules à pain de 8½ x 4½ x 2¼ po (21 x 12 x 6 cm), graissés. Faire cuire au four à 350°F (180°C) pendant 1 heure. Démouler et laisser refroidir sur des grilles.

Donne : 2 pains.

QUICHE AUX CHAMPIGNONS ET AUX OIGNONS

8 oz	d'emmenthal	227 g
1	petit oignon coupé en deux	1
¼ lb	de champignons frais	125 g
1	abaisse de pâte de 9 po (23 cm), précuite	1
4	oeufs	4
1 tasse	de crème à fouetter	250 mL
1 c. à thé	de sel	5 mL
2 c. à soupe	de persil	25 mL
	un peu de sauce forte au piment	
3 tranches	de bacon très cuites (croustillantes et broyées)	3 tranches

Assembler et installer le bloc-râpeur; utiliser la râpe à petits trous n° 1. Régler la vitesse à 4 et râper le fromage et l'oignon; les conserver séparément. Remplacer la râpe n° 1 par la râpe coupe-rondelles pour tranches épaisses (n° 3). Régler la vitesse à 4 et émincer les champignons, dans un autre bol.

Mettre la moitié du fromage râpé dans l'abaisse. Arranger les tranches de champignons sur le fromage. Répartir l'oignon râpé sur les champignons.

Mettre les oeufs dans le bol. Fixer le bol et le batteur plat. Battre pendant 3 minutes à la vitesse 4. Ajouter la crème, le sel, le persil et la sauce forte au piment. Battre pendant 1 minute à la vitesse 4. Verser dans l'abaisse.

Recouvrir avec le reste du fromage, et ajouter le bacon. Faire cuire au four à 350°F (180°C) pendant 30 minutes. Lorsque la cuisson est à point, un couteau inséré au centre en ressort propre. Servir immédiatement.

Donne : 1 quiche de 9 po (23 cm).

Accessoire à pâtes alimentaires Modèle: SNFGA

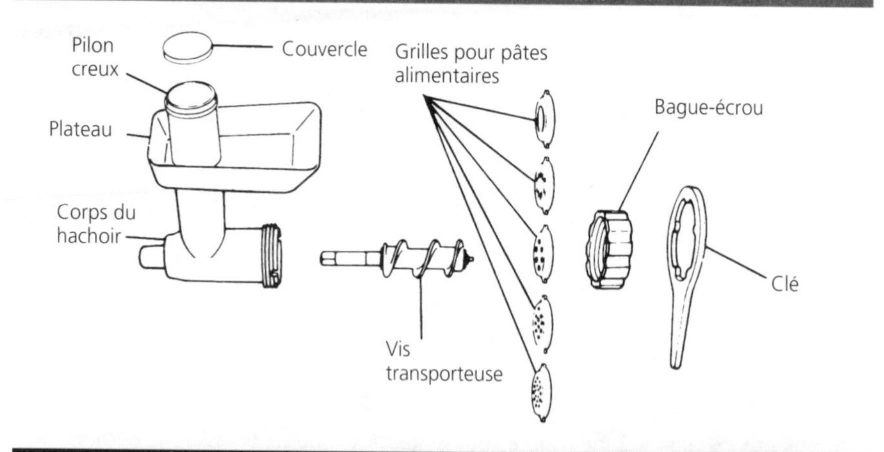

⚠AVERTISSEMENT

RISQUE DE BLESSURES

- **Lors de l'utilisation d'un appareil électrique, toujours observer les précautions de sécurité essentielles. Voir les importantes instructions de sécurité présentées à la page 3 de ce manuel. De plus, observer les précautions suivantes :**
- **NE PAS UTILISER LES DOIGTS pour faire descendre les morceaux d'aliments dans le hachoir. Toujours utiliser le pilon. Le non-respect de ces instructions peut être la cause de blessures.**

ASSEMBLAGE :

Insérer la vis transporteuse dans le corps du hachoir. Mettre une grille perforée pour pâtes alimentaires à l'extrémité exposée de la vis transporteuse (faire correspondre les encoches et protubérances de la grille et du corps du hachoir). Mettre la bague-écrou sur le corps du hachoir; serrer à la main, sans excès. NE PAS UTILISER LA CLÉ POUR SERRER LA BAGUE-ÉCROU.

POSE DE L'ACCESSOIRE SUR L'APPAREIL :

Desserrer la vis de blocage (1) (rotation dans le sens antihoraire). Ôter le couvercle du connecteur d'accessoire. Insérer le logement de l'arbre de transmission de l'accessoire (2) dans le connecteur d'accessoire (3); veiller à ce que l'extrémité à section carrée de l'arbre de transmission de l'accessoire soit bien insérée dans la cavité à section carrée. Si c'est nécessaire, faire pivoter l'accessoire dans un sens et dans l'autre. Lorsque l'accessoire est à la position convenable, l'ergot de l'accessoire s'engage dans la cavité à la périphérie du connecteur. Serrer le bouton de blocage pour immobiliser l'accessoire sur le robot. Voir la section "Information générale", page 65.

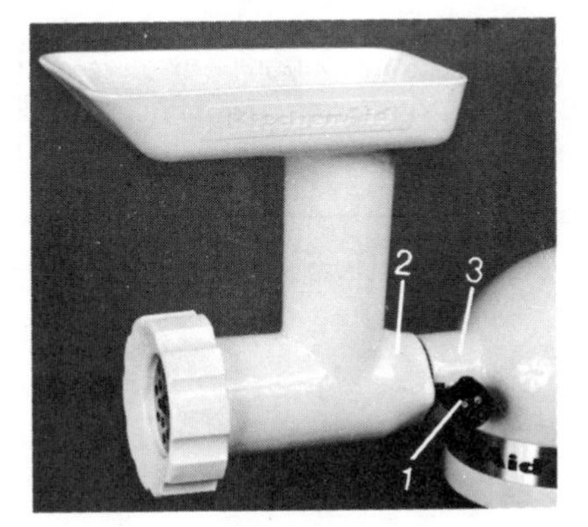

UTILISATION : *Avant d'utiliser l'accessoire à pâtes alimentaires, lire les instructions présentées dans la brochure d'instructions qui l'accompagne.*

Régler la vitesse du robot à 10. Introduire lentement les morceaux de pâte (de la taille d'une noix) dans le hachoir, par l'ouverture du plateau; la pâte devrait s'enfiler d'elle-même. Il faut que la vis transporteuse soit visible avant l'addition du morceau de pâte suivant. Utiliser le pilon seulement si la pâte se bloque dans le tube du hachoir et ne descend plus d'elle-même. Voir le tableau ci-dessous au sujet des instructions spécifiques pour chaque grille.

Grille d'extrusion	Longueur d'extrusion	Séparation	Remisage
SPAGHETTIS MINCES (GRILLE N° 1)	10 po (25 cm); arrêter le robot et détacher doucement les pâtes de la grille.	Étendre les spaghettis sur une surface plane et séparer immédiatement. Laisser sécher sur une serviette, en une seule couche.	Utiliser immédiatement, ou faire sécher complètement à l'air et remiser dans un sachet en plastique.
SPAGHETTIS ÉPAIS (GRILLE N° 2)	10 po (25 cm); arrêter le robot et détacher doucement les pâtes de la grille.	Étendre les spaghettis sur une surface plane et séparer immédiatement. Laisser sécher sur une serviette, en une seule couche.	Utiliser immédiatement, ou faire sécher complètement à l'air et remiser dans un sachet en plastique.
NOUILLES PLATES (GRILLE N° 3)	10 po (25 cm); arrêter le robot et détacher doucement les pâtes de la grille.	Étendre les nouilles sur une surface plane et séparer immédiatement. Laisser sécher sur une serviette, en une seule couche.	Utiliser immédiatement, ou faire sécher complètement à l'air et remiser dans un sachet en plastique.
MACARONIS (GRILLE N° 4)	6 à 8 po (15 à 20 cm); arrêter le robot et détacher doucement les pâtes de la grille.	Étendre les macaronis sur une surface plane et séparer doucement. Laisser sécher partiellement sur une serviette, en une seule couche. Lorsque les macaronis sont relativement fermes, découper en macaronis plus petits avec un couteau, ou en brisant à la main.	Cuire moins de 4 heures après l'extrusion.
LASAGNE (GRILLE N° 5)	11 à 12 po (28 à 30 cm); arrêter le robot et détacher doucement ou couper les bandes extrudées avec un couteau pour les séparer de la grille.	Laisser sécher partiellement sur une serviette, en une seule couche.	Faire cuire moins de 4 heures après l'extrusion, ou congeler dans une feuille d'aluminium.

Table des matières

Services de dépannage

Veuillez lire ce qui suit avant de contacter le centre de service.

1. Le robot peut s'échauffer en cours de service. Lorsqu'une lourde charge est imposée à l'appareil ou lorsqu'il fonctionne pendant une période prolongée, l'utilisateur peut ne pas pouvoir toucher confortablement le haut de l'appareil. Ceci est normal.
2. Le robot peut émettre une forte odeur, particulièrement lorsqu'il est neuf. Ceci est fréquent avec les moteurs électriques.
3. Si le batteur plat frappe le bol, arrêter le robot. Voir "Espacement entre le bol et le batteur", page 11.

En cas d'anomalie de fonctionnement, ou si le robot ne fonctionne pas, contrôler ce qui suit :

1. Le robot est-il bien branché?
2. Le fusible du circuit qui alimente le robot est-il en bon état? Vérifier que le disjoncteur du tableau de distribution est bien fermé.
3. Si le problème n'est pas dû à l'une des causes ci-dessus, voir la section "Comment obtenir les services de réparation" du texte de la garantie, en page 2 de couverture.

Lors de la lecture du livre de recettes et d'instructions ...

Accorder une attention particulière aux sections identifiées par les mots suivants :

⚠AVERTISSEMENT

Ceci vous aidera à éviter des accidents qui pourraient blesser une personne utilisant le produit incorrectement.

⚠ MISE EN GARDE

Ceci vous aidera à éviter des dommages au produit et/ou d'autres biens.

"REMARQUE :" ou "IMPORTANT"

Ces sections donnent des conseils utiles pour l'utilisation du produit.

CARTE D'ENREGISTREMENT DU PRODUIT

Avant d'utiliser le robot, veuillez compléter et retourner la carte d'enregistrement du produit qui accompagne le guide d'utilisation et d'entretien. Cette carte nous permettra de vous contacter au cas, peu probable, où nous devrions diffuser un avis concernant la sécurité du produit. CETTE CARTE NE TIENT PAS LIEU DE VÉRIFICATION DE LA GARANTIE.

Veuillez conserver un exemplaire de la facture de vente indiquant la date d'achat du robot. LA PREUVE D'ACHAT VOUS PERMETTRA DE BÉNÉFICIER DU SERVICE SOUS GARANTIE. Veuillez inscrire ci-dessous l'information demandée, pour vos dossiers personnels :

N° de modèle* ______________________________

Date d'achat ______________________________

Adresse du concessionnaire ______________________________

N° de téléphone ______________________________

*Situé sur la carte d'enregistrement du produit.

INSTRUCTIONS DE SÉCURITÉ IMPORTANTES

Pour réduire les risques d'incendie, choc électrique, dommages matériels ou blessures lors de l'utilisation du robot, il convient d'observer quelques précautions de sécurité essentielles, dont les suivantes :

1. Lire toutes les instructions.
2. Pour éviter les risques de choc électrique, ne jamais immerger le robot dans de l'eau ou un autre liquide.
3. Ce robot est doté d'une fiche de branchement à 3 broches reliée à la terre, qui doit être branchée sur une prise de courant murale à 3 broches convenablement polarisée.
4. Ne jamais laisser des enfants utiliser le robot ou jouer avec.
5. Une supervision étroite est nécessaire lorsqu'un appareil quelconque est utilisé par des enfants ou à proximité d'enfants. Ne jamais laisser le robot sans surveillance.
6. Débrancher le robot de la prise de courant avant d'insérer ou d'ôter des pièces, avant de nettoyer l'appareil, ou lorsqu'il n'est pas utilisé.

7. Éviter de toucher les pièces mobiles. Veiller à maintenir mains, cheveux, vêtements ainsi que spatules et autres ustensiles à distance du fouet lors du fonctionnement du robot, pour éviter les risques de blessures et/ou dommages au robot.
8. Avant de laver le robot et les accessoires, ôter le batteur plat, le fouet et le crochet à pâte.
9. Ne jamais faire fonctionner un appareil quelconque lorsque le cordon d'alimentation est endommagé ou après que l'appareil ait subi une chute ou des dommages quelconques. Retourner l'appareil au centre de service autorisé le plus proche pour examen, réparation ou réglage.
10. L'emploi d'accessoires non recommandés par KitchenAid pourrait susciter incendie, choc électrique ou blessures.
11. Ne jamais utiliser l'appareil à l'extérieur.
12. Ne pas laisser le cordon d'alimentation pendre sur le bord d'une table ou d'un comptoir, ou entrer en contact avec une surface chaude.
13. Lors de l'utilisation d'un robot à tête basculable, le verrouillage ne peut se produire qu'après que la tête soit complètement abaissée. Avant de faire fonctionner le robot, essayer de soulever la tête pour vérifier le verrouillage.
14. Ne pas utiliser une rallonge pour l'alimentation de cet appareil. Ceci pourrait susciter incendie, choc électrique ou autres blessures.
15. Le robot est lourd; exécuter les manipulations de levage avec prudence.
16. Utiliser le robot uniquement pour les fonctions prévues.
17. Ce produit est conçu uniquement pour les utilisations ménagères.
18. Caractéristiques de l'alimentation électrique : le robot KitchenAid doit être alimenté par le réseau électrique résidentiel normal 120 V CA, 60 Hz. La puissance consommée par le robot KitchenAid, modèle K45SS, KSM90, K5SS ou KSM5 est imprimée sur la bande de garniture. Cette indication de la puissance consommée correspond à l'emploi de l'accessoire qui suscite la plus forte demande de courant. La demande de courant peut être sensiblement inférieure lors de l'emploi d'autres accessoires recommandés.
19. Avant d'utiliser le robot, vérifier que le connecteur d'accessoire est bien serré (serrer le bouton de blocage), pour éviter tout risque que le connecteur d'accessoire tombe dans le bol au cours du fonctionnement.

CONSERVER CES INSTRUCTIONS

Robot K5SS/KSM5 - Caractéristiques

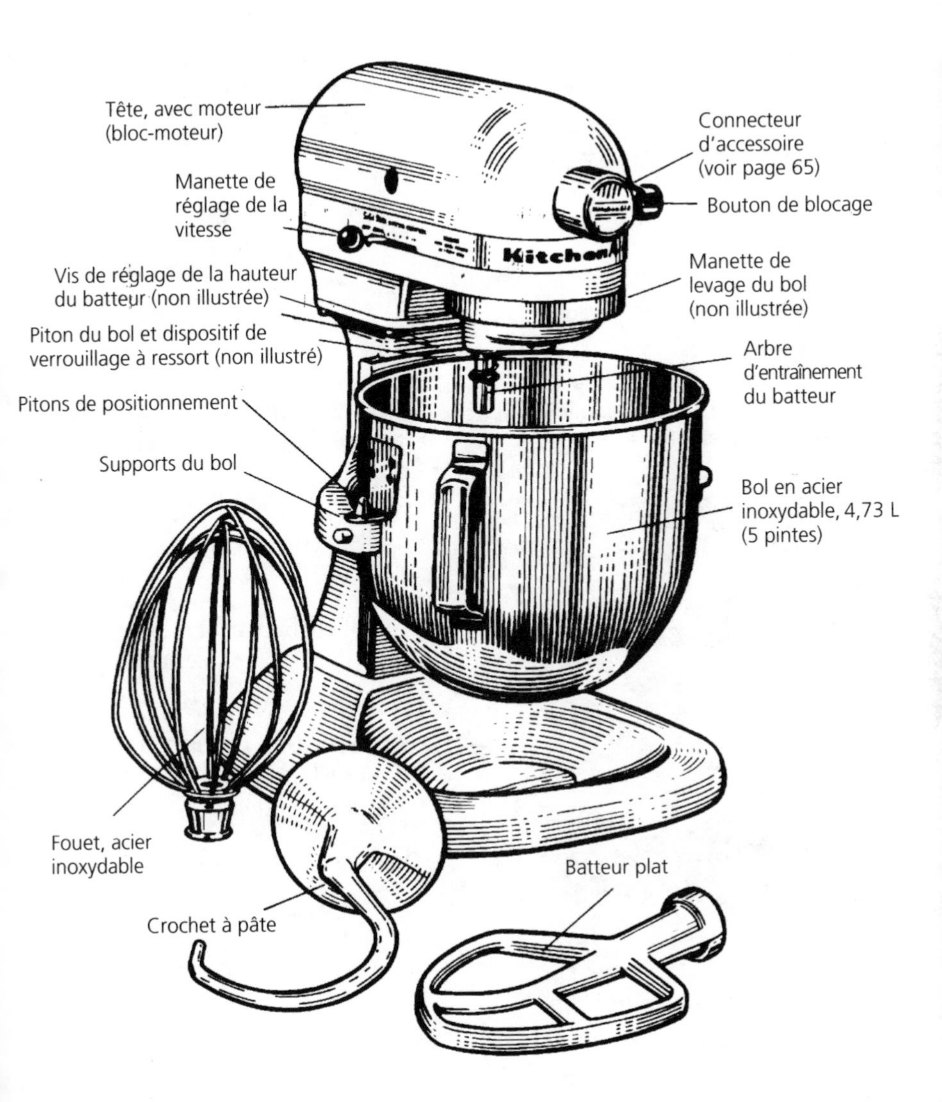

Tête, avec moteur (bloc-moteur)
Manette de réglage de la vitesse
Vis de réglage de la hauteur du batteur (non illustrée)
Piton du bol et dispositif de verrouillage à ressort (non illustré)
Pitons de positionnement
Supports du bol
Fouet, acier inoxydable
Crochet à pâte
Connecteur d'accessoire (voir page 65)
Bouton de blocage
Manette de levage du bol (non illustrée)
Arbre d'entraînement du batteur
Bol en acier inoxydable, 4,73 L (5 pintes)
Batteur plat

POUR INSTALLER LE BOL

- Vérifier que la manette de réglage de la vitesse est à la position d'arrêt (OFF).
- Mettre la manette de levage du bol vers le bas.
- Mettre les pattes du support du bol sur les pitons de positionnement.
- Appuyer sur l'arrière du bol jusqu'à ce que le piton du bol s'emboîte dans le dispositif de verrouillage à ressort.
- Soulever le bol avant le malaxage.

POUR RETIRER LE BOL

- Mettre la manette de levage du bol vers le bas.
- Saisir l'anse du bol et soulever verticalement pour dégager le bol des pitons de positionnement.

POUR SOULEVER LE BOL

- Faire tourner la manette vers l'arrière et vers le haut jusqu'à ce qu'elle s'emboîte à la position d'immobilisation (verticalement).
- Lors du malaxage, le bol doit toujours être soulevé, à la position de verrouillage.

POUR ABAISSER LE BOL

- Faire tourner la manette vers l'arrière et vers le bas.

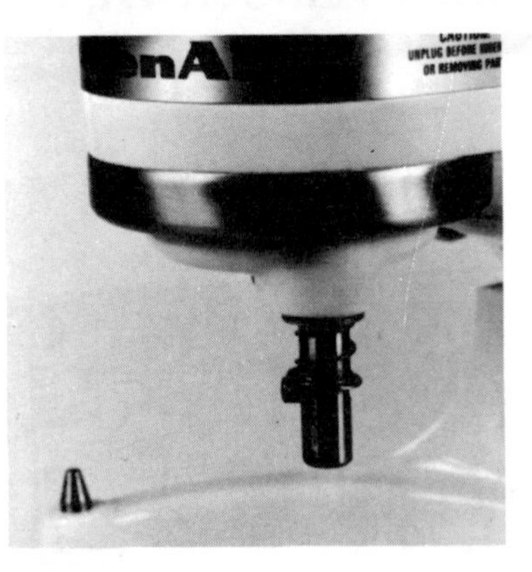

POUR INSTALLER LE BATTEUR PLAT, FOUET OU CROCHET À PÂTE

- Mettre la manette de réglage de la vitesse à la position d'arrêt (OFF), et débrancher l'appareil.
- Enfiler le batteur plat sur l'arbre d'entraînement et pousser vers le haut, aussi loin que possible. Faire tourner le batteur vers la droite pour qu'il s'accroche sur les ergots de l'arbre.

POUR ENLEVER LE BATTEUR PLAT, FOUET OU CROCHET À PÂTE

- Pousser le batteur vers le haut aussi loin que possible; faire tourner le batteur vers la gauche.
- Tirer le batteur pour le dégager de l'arbre.

POUR RÉGLER LA VITESSE

- Lors de la mise en marche de l'appareil, la manette de réglage de la vitesse doit toujours être placée à la position correspondant à la plus basse vitesse; ensuite, pousser graduellement la manette pour obtenir la vitesse plus élevée désirée, afin d'éviter la projection des ingrédients placés dans le bol. Pour la sélection des vitesses, voir la page 13.

Robot K45SS/KSM90 - Caractéristiques

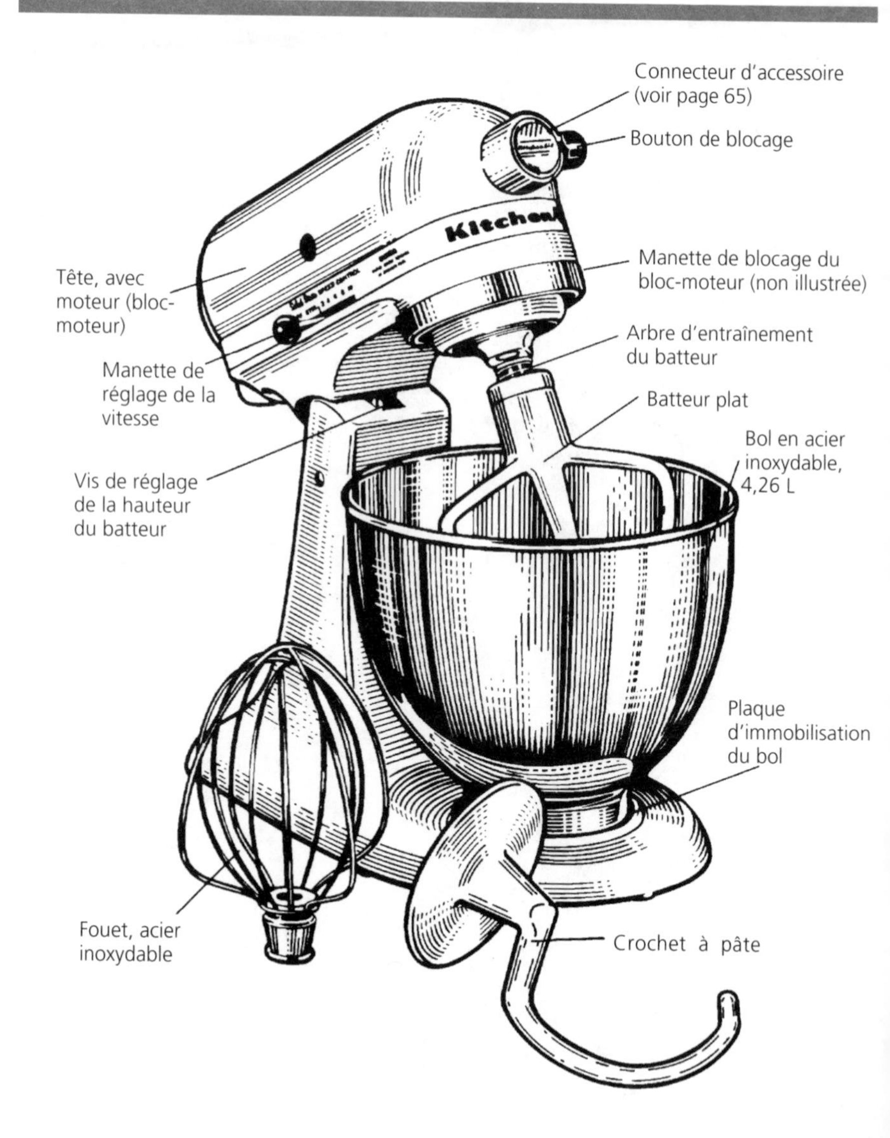

Connecteur d'accessoire (voir page 65)
Bouton de blocage
Tête, avec moteur (bloc-moteur)
Manette de blocage du bloc-moteur (non illustrée)
Arbre d'entraînement du batteur
Manette de réglage de la vitesse
Batteur plat
Bol en acier inoxydable, 4,26 L
Vis de réglage de la hauteur du batteur
Plaque d'immobilisation du bol
Fouet, acier inoxydable
Crochet à pâte

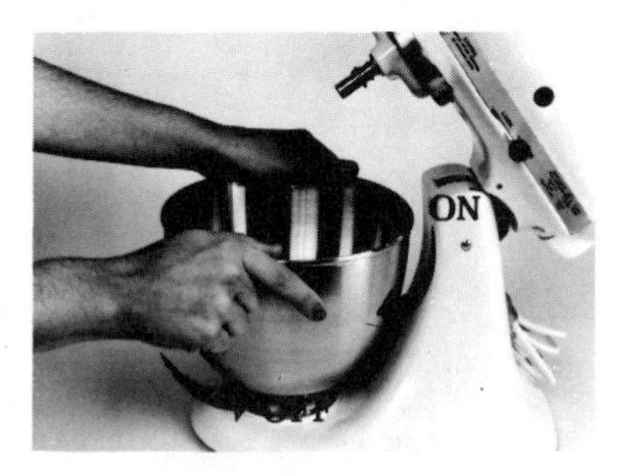

POUR INSTALLER LE BOL

- Vérifier que la manette de réglage de la vitesse est à la position d'arrêt (OFF).
- Incliner le bloc-moteur vers l'arrière.
- Mettre le bol sur la plaque d'immobilisation du bol.
- Faire tourner doucement le bol dans le sens horaire.

POUR RETIRER LE BOL

- Mettre la manette de réglage de la vitesse à la position d'arrêt (OFF).
- Incliner le bloc-moteur vers l'arrière.
- Faire tourner le bol dans le sens antihoraire.

POUR INSTALLER LE BATTEUR PLAT, FOUET OU CROCHET À PÂTE

- Mettre la manette de réglage de la vitesse à la position d'arrêt (OFF) et débrancher l'appareil.
- Soulever le bloc-moteur.
- Enfiler le batteur plat sur l'arbre d'entraînement et pousser vers le haut, aussi loin que possible.
- Tourner le batteur vers la droite pour qu'il s'accroche sur les ergots de l'arbre.

POUR ENLEVER LE BATTEUR PLAT, FOUET OU CROCHET À PÂTE

- Pousser le batteur vers le haut aussi loin que possible; faire tourner le batteur vers la gauche.
- Tirer le batteur pour le dégager de l'arbre.

POUR VERROUILLER LE BLOC-MOTEUR

- Vérifier que le bloc-moteur est complètement abaissé.
- Mettre la manette de verrouillage à la position de verrouillage (LOCK).
- Avant d'utiliser l'appareil, essayer de soulever le bloc-moteur pour vérifier qu'il est verrouillé.

POUR DÉVERROUILLER LE BLOC-MOTEUR

- Mettre la manette à la position de déverrouillage (UNLOCK).
  REMARQUE : Le bloc-moteur doit toujours être maintenu à la position de verrouillage (LOCK) pendant le fonctionnement du robot.

POUR RÉGLER LA VITESSE

- Lors de la mise en marche de l'appareil, la manette de réglage de la vitesse doit toujours être placée à la position correspondant à la plus basse vitesse; ensuite, pousser graduellement la manette pour obtenir la vitesse plus élevée désirée, afin d'éviter la projection des ingrédients placés dans le bol. Pour la sélection des vitesses, voir la page 13.

UTILISATION DES ACCESSOIRES DU ROBOT KITCHENAID

Batteur plat, pour les mélanges de consistance normale à épaisse, comme :

- pâtes à gâteaux
- crèmes de glaçage
- bonbons
- biscuits
- pâte à tarte
- petits gâteaux
- pains à préparation rapide
- pain de viande
- pommes de terre en purée

Fouet, pour les mélanges qui nécessitent l'incorporation d'air, comme :

- oeufs
- blancs d'oeufs
- crème à fouetter
- glaçages bouillis
- gâteaux de Savoie
- gâteaux des anges
- mayonnaise
- certains bonbons

Crochet à pâte, pour la préparation et le malaxage des pâtes contenant de la levure, comme :

- pâte à pain
- pains roulés
- gâteaux poivrés aux épices
- brioches

DESSERRAGE DE LA BAGUE-ÉCROU :

Si la bague-écrou est si serrée qu'il n'est pas possible de la dévisser à la main, faire passer la clé sur les cannelures et la faire tourner dans le sens antihoraire.

⚠ MISE EN GARDE

NE JAMAIS UTILISER LA CLÉ POUR VISSER LA BAGUE-ÉCROU SUR LE CORPS DU HACHOIR; LE HACHOIR POURRAIT SUBIR DES DOMMAGES.

CHANGEMENT DES GRILLES :

Lorsqu'il est nécessaire de changer de grille, on doit complètement démonter l'accessoire, et le remonter après avoir enlevé tout résidu de pâte du corps du hachoir.

REMARQUE : Des grilles d'extrusion (modèle SNPA) sont disponibles pour la conversion du hachoir (modèle FGA) en un accessoire de fabrication de pâtes alimentaires.

PÂTE DE BASE POUR NOUILLES AUX OEUFS

4	gros oeufs (⅞ tasse-225 g)	4
1 c. à soupe	d'eau	15 mL
3½ tasses	de farine tout-usage, tamisée	875 mL

Mettre les oeufs, l'eau et la farine dans le bol. Fixer le bol et le batteur plat. Régler la vitesse à 2 et battre pendant 30 secondes.

Ôter le batteur plat et fixer le crochet à pâte. Régler la vitesse à 2 et malaxer pendant 2 minutes.

Pétrir la pâte à la main pendant 30 secondes à 1 minute. Recouvrir avec une serviette sèche et laisser reposer 15 minutes avant d'extruder la pâte à l'aide de l'accessoire à pâtes alimentaires.

Observer les instructions de cuisson présentées ci-dessous (cuisson des pâtes).

Donne : 1¼ lb (625 g) de pâte.

CUISSON DES PÂTES :

Dans 6 pintes (5,7 L) d'eau bouillante, ajouter 1 c. à soupe (15 mL) de sel et 1 c. à soupe (15 mL) d'huile. Ajouter graduellement les pâtes* et faire cuire à faible ébullition, jusqu'à ce que les pâtes soient légèrement fermes "al dente". Les pâtes flottent sur l'eau au cours de la cuisson; par conséquent, remuer occasionnellement pour une cuisson uniforme. Lorsque la cuisson est terminée, égoutter et rincer les pâtes dans une passoire.

*Pour les spaghettis, les nouilles plates et les macaronis, faire cuire toute la quantité de la recette selon les indications ci-dessus. Pour les lasagnes, faire cuire d'abord la moitié de la quantité de la recette, et faire cuire l'autre moitié immédiatement après.

SAUCE MARINARA

1 boîte de 28 oz	de tomates italiennes*	1 boîte de 796 mL
1 boîte de 5½ oz	de pâte de tomate	1 boîte de 156 mL
¼ tasse	de persil haché	50 mL
1 gousse	d'ail	1 gousse
1 c. à thé	d'origan	5 mL
1 c. à thé	de sel	5 mL
¼ c. à thé	de poivre	1 mL
6 c. à soupe	d'huile d'olive	90 mL
⅔ tasse	d'oignon coupé en dés	150 mL
½ tasse	de vin blanc sec (facultatif)	125 mL

Mettre les tomates avec le jus, la pâte de tomate, le persil, l'ail, l'origan, le sel et le poivre dans le récipient d'un mélangeur ou d'un robot culinaire. Faire fonctionner l'appareil jusqu'à l'obtention d'un liquide lisse.

Faire chauffer l'huile d'olive dans un poêlon de 12 po (30 cm), à feu moyen. Ajouter les oignons et les faire sauter pendant 2 minutes. Ajouter le mélange à base de tomates et le vin. Baisser le feu et laisser mijoter pendant 30 minutes en remuant occasionnellement.

Donne : 4 tasses (1 L).

*On peut remplacer les tomates en conserve par 2 lb (1 kg) de tomates fraîches. Couper les tomates fraîches en quartiers et laisser mijoter 1½ heure. Continuer la recette de la même manière qu'avec des tomates en conserve.

POULET AUX NOUILLES AMANDINE

½ tasse	de beurre ou de margarine	125 mL
1 tasse	d'amandes effilées	250 mL
2 tasses	de champignons, émincés	500 mL
2 c. à soupe	de zeste d'orange râpé	25 mL
1 c. à soupe	de sel	15 mL
¼ c. à thé	de poivre	1 mL
½ tasse	de bouillon de poulet	125 mL
4 tasses	de poulet cuit, découpé en cubes	1 L
3 tasses	de crème sure	750 mL
1	recette de nouilles plates, cuites et égouttées	1

Faire fondre ¼ tasse (50 mL) de beurre dans une casserole, à feu moyen. Ajouter les amandes et remuer jusqu'à ce qu'elles soient légèrement brunies. Retirer la casserole du feu et réserver.

Faire fondre le reste du beurre dans une casserole propre à feu moyen. Ajouter les champignons et les faire sauter pendant 3 minutes. Ajouter le zeste d'orange, le sel, le poivre, le bouillon de poulet et le poulet. Cuire 1 minute de plus. Ajouter la crème sure dans le mélange au poulet en remuant; faire cuire jusqu'à ce que le tout soit entièrement chaud, mais sans qu'il y ait ébullition. Servir immédiatement sur des nouilles chaudes. Saupoudrer d'amandes.

Donne : 6 à 8 portions.

Macaronis au fromage

1¼ lb	de fromage ricotta ou de fromage cottage à petits grains	625 g
½ tasse	de beurre ou de margarine, fondu(e)	125 mL
½ lb	de bacon, découpé en morceaux de 1 po (2,5 cm)	250 g
1 paquet de 10 oz	de petits pois congelés, décongelés	1 paquet de 300 g
⅓ tasse	de parmesan	75 mL
1 c. à thé	de sel	5 mL
¼ c. à thé	de poivre	1 mL
1	recette de macaronis ou de nouilles plates, cuits et égouttés	1

Mettre le fromage ricotta dans un bol de service et le fragmenter avec une fourchette. Ajouter le beurre et les pâtes; remuer deux ou trois fois.

Faire cuire le bacon dans un poêlon de 12 po (30 cm), à feu moyen, jusqu'à ce qu'il soit croustillant. Ajouter les petits pois; faire sauter pendant 2 minutes. Enlever la graisse.

Ajouter le bacon et les petits pois aux nouilles et remuer. Ajouter le parmesan; saler et poivrer. Remuer de nouveau et servir immédiatement.

Donne : 8 à 10 portions.

Presse-fruits/presse-légumes
Modèle : FVSFGA

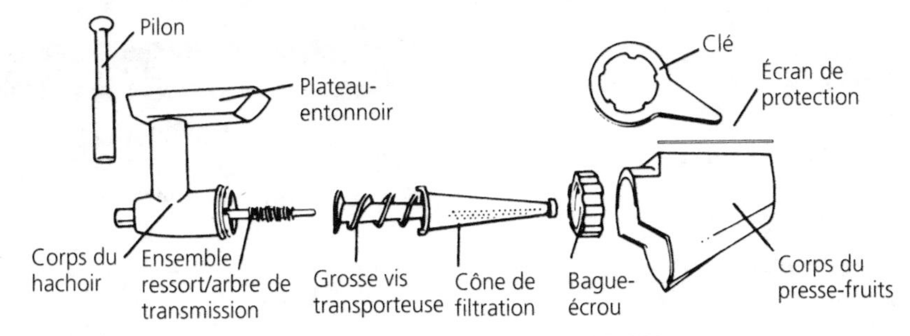

ASSEMBLAGE :

Introduire l'extrémité la plus petite de l'ensemble ressort/arbre de transmission dans l'ouverture de la grosse vis transporteuse, jusqu'à ce qu'ils soient fermement en place. Insérer la vis transporteuse dans le corps du hachoir. Fixer le filtre conique par-dessus l'extrémité exposée de la vis transporteuse (faire correspondre les protubérances et encoches sur la périphérie du cône et du corps du hachoir). Mettre la bague-écrou sur le corps du hachoir; bien serrer à la main, mais sans excès. NE PAS UTILISER LA CLÉ POUR SERRER LA BAGUE-ÉCROU. Enfiler le corps du presse-fruits par-dessus le filtre conique, et verrouiller sur la bague-écrou. Mettre l'écran de protection sur le corps du presse-fruits.

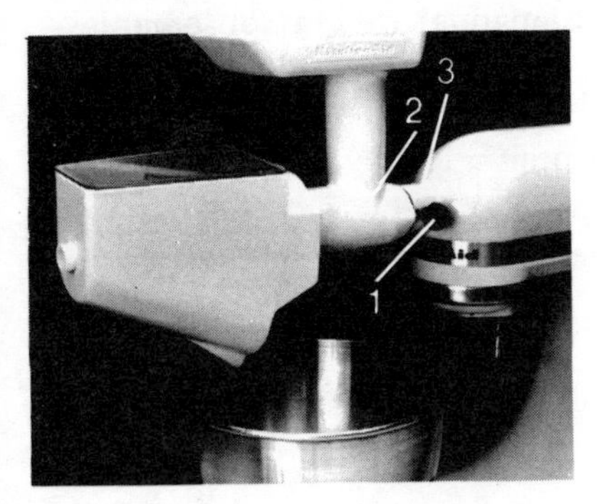

INSTALLATION :

Desserrer la vis de blocage (1) en la tournant dans le sens antihoraire. Ôter le couvercle du connecteur d'accessoire. Insérer le logement de l'arbre de transmission de l'accessoire (2) dans le connecteur d'accessoire (3); veiller à ce que l'extrémité à section carrée de l'arbre de transmission de l'accessoire soit bien insérée dans la cavité à section carrée. Si c'est nécessaire, faire pivoter l'accessoire dans un sens et dans l'autre. Lorsque l'accessoire est à la position convenable, l'ergot de l'accessoire s'engage dans la cavité à la périphérie du connecteur. Serrer le bouton de blocage pour immobiliser l'accessoire sur le robot. Voir la section "Information générale", page 65.

UTILISATION :

Avant d'utiliser le presse-fruits, lire la brochure d'instructions qui l'accompagne.

Après avoir fixé le presse-fruits sur le robot, mettre le bol sous le presse-fruits pour récupérer le liquide qui s'écoule à travers le filtre, et mettre un plus grand bol sous l'extrémité ouverte, pour récupérer les résidus. Découper les fruits en petits morceaux qui pourront descendre à travers le corps de l'accessoire. Régler la vitesse du robot à 4 et pousser les morceaux de fruits dans le tube de l'accessoire avec le pilon.

PRESSAGE DE FRUITS ET DE LÉGUMES :

- Découper les fruits ou légumes en petits morceaux qui pourront descendre dans le tube de l'accessoire.
- Ôter les peaux épaisses ou résistantes, comme celles des oranges.
- Ôter les gros noyaux ou grosses graines, comme les noyaux de pêche.
- Ôter les rafles ou tiges, comme celles des fraises ou des raisins.
- Faire cuire tous les fruits et légumes durs ou fermes avant de les presser.
- Un liquide peut s'accumuler dans le plateau-entonnoir lors du traitement de grandes quantités d'aliments contenant beaucoup d'eau comme les tomates ou canneberges. Pour drainer le liquide, continuer à faire fonctionner le robot. NE PAS PRESSER UNE QUANTITÉ ADDITIONNELLE D'ALIMENTS AVANT QUE LA TOTALITÉ DU LIQUIDE SE SOIT ÉCOULÉE DU PLATEAU; LE ROBOT POURRAIT SUBIR DES DOMMAGES.

POUR DESSERRER L'ANNEAU :

Si l'anneau est trop serré pour l'enlever manuellement, glisser la clé sur les cannelures et faire tourner la poignée de la clé dans le sens antihoraire.

⚠ MISE EN GARDE

NE JAMAIS UTILISER LA CLÉ POUR SERRER LA BAGUE-ÉCROU SUR LE CORPS DE L'ACCESSOIRE DE PRESSAGE; CELUI-CI POURRAIT SUBIR DES DOMMAGES.

REMARQUE : Les pièces du presse-fruits/presse-légumes, modèle FVSP, sont disponibles pour la conversion du hachoir, modèle FGA, en un presse-fruits/presse-légumes.

⚠AVERTISSEMENT

RISQUE DE BLESSURES

- **Lors de l'utilisation d'un appareil électrique, toujours observer les précautions de sécurité essentielles. Voir les importantes instructions de sécurité présentées à la page 3 de ce manuel. De plus, observer les instructions suivantes :**
- **NE PAS INTRODUIRE LES DOIGTS dans le tube de l'accessoire pour y faire descendre les aliments. Toujours utiliser le pilon. Le non-respect de ces instructions peut être à l'origine de blessures.**

SAVOUREUSE TARTINADE AU FROMAGE

1 tasse	de fromage cottage	250 mL
½ tasse	de beurre ou de margarine, ramolli(e)	125 mL
1 c. à soupe	de paprika	15 mL
1 c. à thé	d'oignon déshydraté	5 mL
1 c. à thé	de graines de carvi (facultatif)	5 mL
½ c. à thé	de moutarde sèche	2 mL
¼ c. à thé	de sel à l'ail	1 mL
½ tasse	de crème sure	125 mL
1 c. à soupe	de persil ou de ciboulette haché(e)	15 mL

Assembler et installer le presse-fruits/presse-légumes. Régler la vitesse à 4 et presser le fromage cottage. Réserver.

Mettre le beurre dans le bol. Fixer le bol et le batteur plat. Battre pendant 1 minute à la vitesse 4. Arrêter et racler le bol. Ajouter le fromage cottage pressé, le paprika, l'oignon, les graines de carvi, la moutarde sèche, le sel à l'ail et la crème sure. Régler la vitesse à 4 et battre pendant 30 secondes environ jusqu'à l'obtention d'un mélange lisse. Arrêter et racler le bol. Battre de nouveau pendant 30 secondes à la vitesse 4.

Donner au mélange la forme d'un monticule. Décorer avec la ciboulette ou le persil. Réfrigérer pendant 2 heures ou jusqu'à ce que le mélange soit ferme. Servir avec des craquelins assortis.

Donne : 2 tasses (500 mL).

Crème aux fraises

1 sachet de 7 g	de gélatine non parfumée	1 sachet de 7 g
¼ tasse	d'eau froide	50 mL
1 ½ tasse	de fraises	375 mL
2 tasses	de crème à fouetter	500 mL
½ tasse	de sucre granulé	125 mL
	une pincée de sel	
3 c. à soupe	de jus de citron	45 mL

Parsemer la gélatine à la surface de l'eau dans une casserole, pour la ramollir.

Laver les fraises et ôter les queues. Réserver quelques fraises pour le garnissage final. Assembler et installer le presse-fruits/presse-légumes. Régler la vitesse à 4 et presser les fraises dans le bol. Fixer le bol et le batteur plat. Ajouter 1 tasse (250 mL) de crème, le sucre et le sel à la purée de fraises. Battre à la vitesse Stir/Agiter jusqu'à l'obtention d'un mélange homogène.

Dissoudre le mélange à base de gélatine, à feu doux. Ajouter le jus de citron.

Régler la vitesse à Stir/Agiter, et ajouter graduellement le mélange à base de gélatine à la purée de fraises; continuer à battre jusqu'à ce que le tout soit bien mélangé. Vider le contenu du bol et réserver.

Fixer le bol propre et le fouet. Ajouter la tasse restante de crème et battre en passant graduellement à la vitesse 6, jusqu'à l'obtention d'une crème fouettée épaisse, mais non ferme. Passer à la vitesse Stir/Agiter et ajouter le mélange fraises-gélatine. Arrêter le robot et racler le bol. Battre pendant 30 secondes de plus à la vitesse Stir/Agiter.

Verser le mélange à base de fraises dans un plateau à glaçons, ou le laisser dans le bol; congeler jusqu'à ce que le mélange s'affermisse, tout en demeurant encore relativement mou. Remuer occasionnellement au cours de la congélation.

À l'aide d'une cuiller, mettre la crème dans des assiettes à dessert. Garnir avec les fraises réservées au début.

Donne : 6 à 8 portions.

Moulin à céréales Modèle : GMA

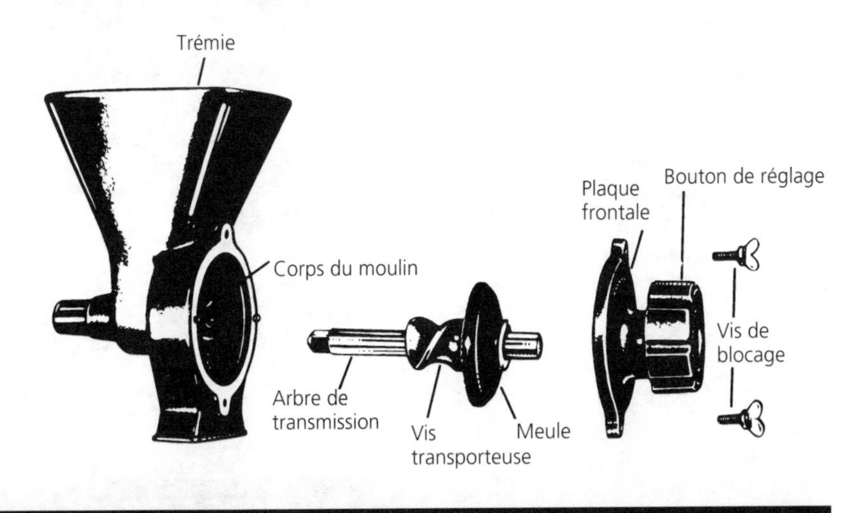

⚠AVERTISSEMENT

RISQUE DE BLESSURES

- **Lors de l'utilisation d'un appareil électrique, toujours observer les précautions de sécurité essentielles. Voir les importantes instructions de sécurité présentées à la page 3 de ce manuel. De plus, observer les instructions suivantes :**
- **NE JAMAIS INTRODUIRE LES MAINS OU UN USTENSILE QUELCONQUE dans la trémie du moulin à céréales lorsqu'il fonctionne.**
- **Ne jamais approcher le visage de la trémie vers la fin de l'opération de mouture, car de petits grains peuvent être projetés hors de la trémie.**

ASSEMBLAGE :

Insérer l'ensemble arbre de transmission/vis transporteuse/meule dans le corps du moulin à céréales. Monter la plaque frontale avec le bouton de réglage, à l'avant de l'arbre de transmission. **REMARQUE :** Faire tourner le bouton de réglage de deux à trois tours complets dans le sens antihoraire pour obtenir l'ajustement en affleurement. Serrer les vis de blocage pour immobiliser les pièces.

INSTALLATION DU MOULIN SUR L'APPAREIL :

Desserrer la vis de blocage (rotation dans le sens antihoraire). Ôter le couvercle du connecteur d'accessoire. Insérer le logement de l'arbre de transmission de l'accessoire dans le connecteur d'accessoire; veiller à ce que l'extrémité à section carrée de l'arbre de transmission de l'accessoire soit bien insérée dans la cavité à section carrée. Si c'est nécessaire, faire pivoter l'accessoire dans un sens et dans l'autre. Lorsque l'accessoire est à la position convenable, l'ergot de l'accessoire s'engage dans la cavité à la périphérie du connecteur. Serrer le bouton de blocage pour immobiliser l'accessoire sur le robot. Voir la section "Information générale", page 65.

UTILISATION :

Avant d'utiliser le moulin à céréales, lire la brochure d'instructions qui l'accompagne.

Ajuster la finesse de mouture **sans** qu'il y ait de céréales dans le moulin. Pour régler la mouture, faire tourner le bouton de réglage (1) de deux tours dans le sens antihoraire, et mettre le robot en marche, à la vitesse 10. Faire tourner le bouton de réglage (1) dans le sens horaire jusqu'à ce que les meules soient juste en contact. Le contact des meules est indiqué par un changement du son et de la vitesse du moteur. Desserrer **immédiatement** le bouton de réglage (1) dans le sens antihoraire, de trois intervalles (trois déclics).

⚠ MISE EN GARDE

Ne pas laisser le moulin fonctionner en permanence alors que les meules sont en contact. Le moulin subirait des dommages.

Arrêter le robot et remplir la trémie de céréales. Après l'addition des céréales, régler la vitesse à 10. Si la mouture est trop fine, faire tourner le bouton de réglage dans le sens horaire d'un intervalle (un déclic) à la fois jusqu'à l'obtention de particules de la taille désirée.

Poursuivre l'addition de céréales dans la trémie jusqu'à ce que la quantité de céréales désirée ait été moulue.

Il n'est pas nécessaire d'appuyer sur les céréales avec les mains ou un ustensile quelconque pour les faire descendre dans la trémie. Elles sont transportées vers les meules par la rotation de la vis transporteuse.

⚠ MISE EN GARDE

NE PAS MOUDRE PLUS DE 10 TASSES (2,5 L) DE FARINE EN UNE SEULE FOIS. Laisser le robot refroidir pendant au moins 45 minutes avant de l'utiliser de nouveau; sinon, le robot pourrait subir des dommages.

MUFFINS AU BLÉ ET AU MAÏS

½ tasse	de graines de blé ou	125 mL
¾ tasse	de farine de blé entier	175 mL
¾ tasse	de maïs ou	175 mL
1 tasse	de farine de maïs	250 mL
1 c. à soupe	de cassonade	15 mL
2 c. à thé	de poudre à lever	10 mL
¾ c. à thé	de sel	3 mL
1 tasse	de lait	250 mL
2	oeufs battus	2
¼ tasse	d'huile végétale	50 mL

Assembler et installer le moulin à céréales. Mettre le bouton de réglage à la position 3. Régler la vitesse à 10 pour moudre les grains de blé et le maïs.

Verser la farine de blé entier, la farine de maïs, la cassonade, la poudre à lever et le sel dans le bol. Fixer le bol et le batteur plat. Régler la vitesse à 2 et mélanger pendant 30 secondes. Ajouter le lait, les oeufs et l'huile. Passer à la vitesse Stir/Agiter et mélanger pendant 15 secondes. Arrêter et racler le bol. Mélanger de nouveau pendant 15 secondes à la vitesse Stir/Agiter.

Verser la pâte dans des moules à muffins graissés. Faire cuire au four à 400°F (200°C) pendant 15 minutes. Servir tièdes.

Variantes :

Muffins aux bleuets : Ajouter ½ à 1 tasse (125 mL à 250 mL) de bleuets, et porter la quantité de cassonade à ¼ tasse (50 mL).

Muffins aux noix : Ajouter ½ tasse (125 mL) de noix hachées.

Muffins aux raisins secs : Ajouter ½ tasse (125 mL) de raisins secs à la pâte à muffins, ou mettre quelques raisins secs sur les muffins avant la cuisson.

Donne : 12 muffins.

Housses à robot

Modèle : K45CR

(Pour robots K45SS et KSM90)

Modèle : K5CR

(Pour robots K5SS et KSM5)

Pour protéger les robots lors du remisage. Fabrication en coton et polyester; lavables à la machine.

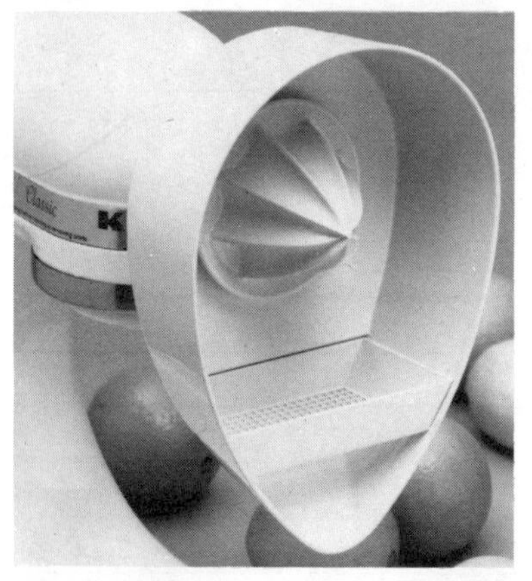

Presse-agrumes

Modèle : JE

Pour l'extraction rapide du jus des oranges, pamplemousses, citrons et autres agrumes.

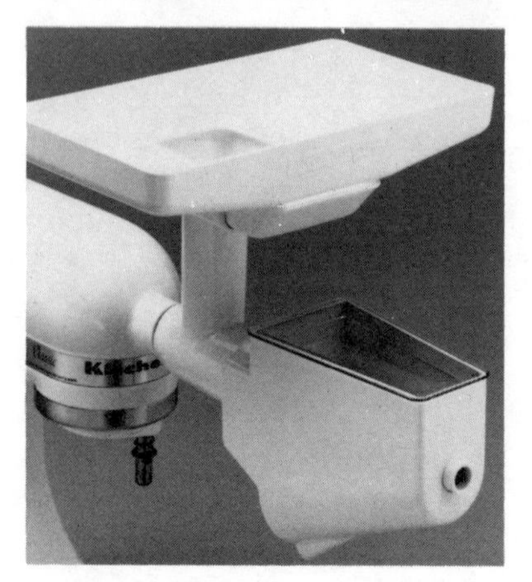

Plateau à aliments

Modèle : FT

Plateau pouvant recevoir de grandes quantités de fruits, légumes, viandes, pour un traitement aisé et rapide. Utilisation uniquement avec les accessoires du hachoir KitchenAid (modèles FGA seulement).